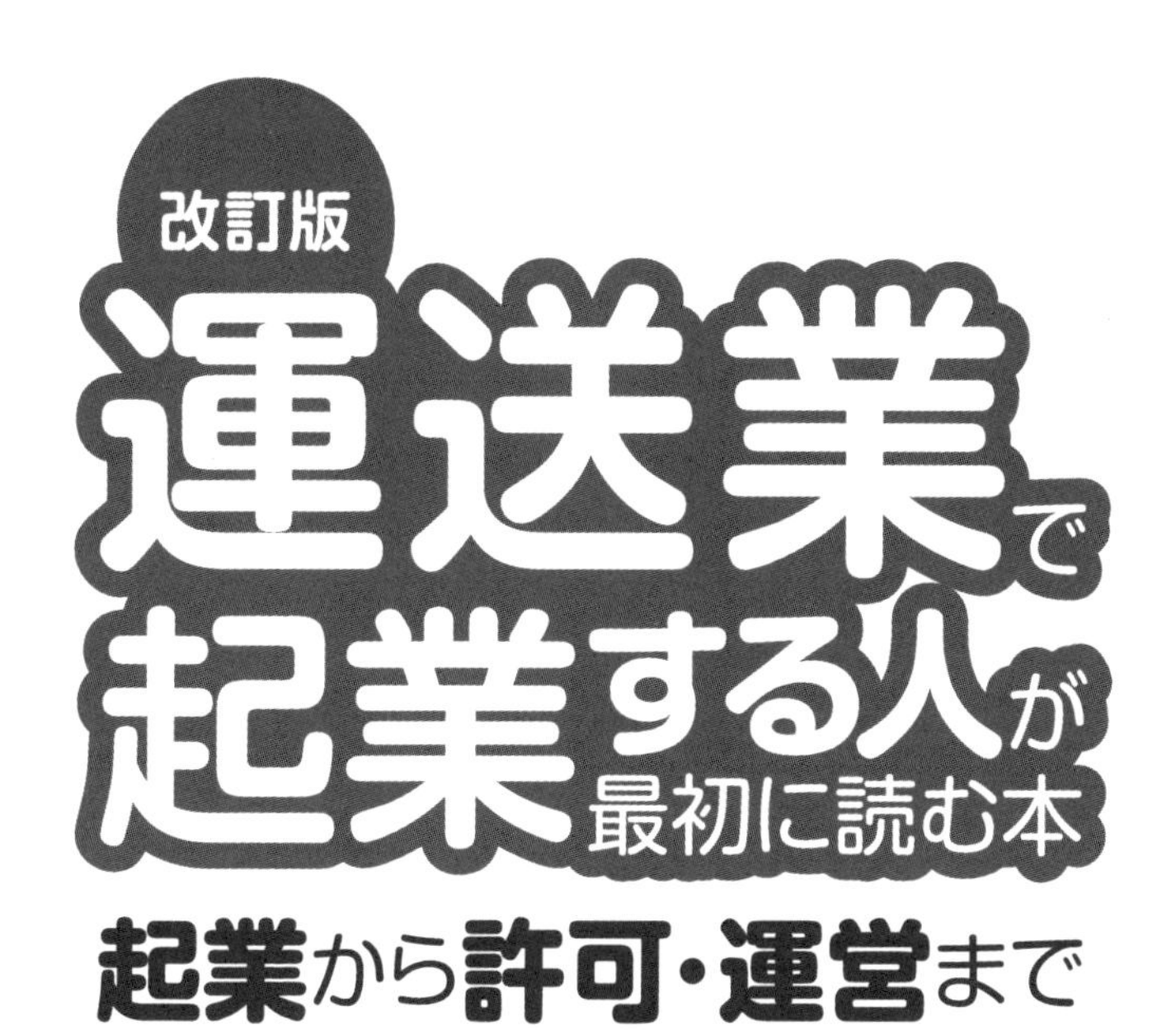

諸井佳子 著

セルバ出版

はじめに

本書を手にとっていただき、ありがとうございます。

本書を手に取ったあなたは、将来的に独立を考えている運送会社の社員の方やドライバーの方またたは、何かの理由で緑ナンバーを取らなければならなくなった方ではないでしょうか？

本書は運送業の経営を始めたいと考えている方が、何から準備をし、どのような手続を経て許可を取得し、実際にどんな経営をしていくのかを、わかりやすい文章で記しています。1つひとつの手続に関して、役所の手引きやインターネット情報で手に入れることは可能でしょう。しかしながら、運送業の諸手続やコンプライアンスに関し、ざっと概要を知ることができる手引書類の本は、私が知る限りではほとんどありませんでした。

なぜ私が、「運送業で起業する人が最初に読む本」を書きたいと思ったか。それにはもちろん理由があります。


現在、私は行政書士事務所の代表として、日々運送関係業務に勤しんでおります。今でこそ多くのお客様に恵まれ、経験を積ませていただいていますが、最初は貨物自動車運送業法、道路運送法、公示、施行規則、等々多岐にわたる法令に習熟しなければならず、スムーズに業務遂行できるようになるまで時間がかかりました。お問い合わせがあっても受任にまで至らなかったときもあり、そのときには相当落ち込みました。

そうしてこう思いました。「運送業許可に関係するわかりやすい本があったらよいのに」と。


本書は、これから運送業を始めたい方、そして当時の私のように運送業務に興味のある新人行政書士の方に読んでいただきたい本となっています。難しい専門用語を極力使わず、可能な限り読みやすい言葉で綴ってみました。

本書の内容に関しましては、基本的な事項を記載しました。運輸局によってローカルルールもございますので、実際に許可を申請する場合には、必ず管轄の運輸局にお問い合わせいただきますようお願い致します。また本書は執筆時点での法律に基づいて記載しております。

最後に、物流という社会の根幹を担う運送業は、日本経済を支えている大切な仕事。その事業の発展のために、少しでもお役に立てたらとの想いでおります。

本書を読んだ皆様が、夢の実現に一歩でも近づいてくださったら幸いです。

改訂版では、２０１９年11月の貨物自動車運送事業法の改正を織り込んで解説しています。

２０２１年10月

諸井　佳子

改訂版　運送業で起業する人が最初に読む本―起業から許可・運営まで　目次

第5章　運送会社の運営について

第6章　より良い運送会社に育てていくために

第7章 車両1台でも、車両なしでも始められる運送関係事業（貨物軽自動車運送事業・レンタカー事業・貨物利用運送事業）

参考 建築基準法の「用途地域等内の建築物の制限」

おわりに

第 1 章

運送業
（一般貨物自動車運送事業）
を始める前に

1　運送業とは何か

運送業の3区分

トラックやトレーラー等を使用して荷物を運ぶ事業を一般的に「運送業」といいますが、運送業は貨物自動車運送事業法という法律で「一般貨物自動車運送事業」、「特定貨物自動車運送事業」、「貨物軽自動車運送事業」の3種類に区分されています。

では、「一般貨物自動車運送事業」とは、どのような事業をいうのでしょうか。

「一般貨物自動車運送事業」とは、他人の需要に応じ、有償で、自動車（三輪以上の軽自動車及び二輪の自動車を除く）を使用して貨物を運送する事業であって、特定貨物自動車運送事業以外のものと定義されています（貨物自動車運送事業法2②）。

わかりやすく言えば、「他人から依頼を受けてトラックで貨物を運び、運賃をもらう事業」のことです。運ぶものは、食品・衣料品・建築資材・車の部品・日用品・書類・書籍・精密機器など、私たちが生活する上で目にするものすべてと言えるほど数限りなく存在します。

同じ運賃が発生するものであっても、人を運ぶ場合は、旅客自動車運送事業として別の法律で規制されています（ただし、霊柩車は貨物運送事業に当てはまります）。

なお、「特定貨物自動車運送事業」とは、貨物の輸送の依頼主が特定の一者のみとなる運送業のことをいい、「貨物軽自動車運送事業」とは、軽貨物自動車を使用し貨物を運ぶ運送業のことをいいます。

2　緑ナンバーと白ナンバーの違いを知ろう

街を走っていると、多くのトラックを見かけますが、同じトラックでもナンバープレートの色が違うことは皆様ご存じだと思います。

緑ナンバーは他人の荷物を お金をもらって運ぶ「営業用」。すなわち、荷物の輸送を専門に行う事業者が運行する営業用トラックのこと。荷主から荷物を預かり、それを目的地まで運送することにより、報酬として運賃を受け取る事業に使用するトラックのことを指します。大手の運送会社を例えに出すとわかりやすいかもしれません。

それとは別に、自社のものを運んでいるトラックに付けられているのが、白いナンバープレートです。白ナンバーは自分の会社の荷物を運ぶ「自家用」トラックを意味し、したがって荷物を運ぶことにより運賃を収受ことは、禁止されています。製造業などが、自社製品を各営業所などに運ぶ際に使うトラックがこれに当たります。

その違いは、「営業用」と「自家用」と言うことだけでなく、「営業用」には貨物法における多くの義務が生じます。

3　運送業は責任のある事業

法に則って守るべきものが沢山ある

今本書を手にとってくださっている方が、運送会社の従業員さんやトラックのドライバーさんでしたら、運送会社の経営が大変なことは薄々（十分）気づいていることと思います。

「何が大変か?」って、法に則って守るべきものが沢山あるからです。

一例を挙げますと、業務前後の点呼、アルコールチェック、運転時間・拘束時間の制限、資格者の確保・研修、運転記録などの多くの帳票類の毎日の記録管理、車両の定期的な整備点検の義務、事業報告や運送実績等の報告書の提出義務、車両の増減対応、営業所や車庫の移転や増設の認可申請、社会保険の加入、社内教育や健康診断の実施、事故報告などなど。

そして、それらがきちんと遂行されているか、適正化事業実施機関の巡回指導が数年に一度入ります。担当者が営業所に来て、すべての帳票類をチェックします。運転記録などから長時間運転などがわかると、厳しく指導されますし、その他も改善点を指摘され、改善後に改善報告書や関係資料を提出をしなければなりません。

また、後述しますが、運送会社を始めるには、いくつかの厳しい要件を満たさなければなりません。さらに運送会社を経営していくには、前述しましたとおり、多くの義務と責任が生じます。

それを継続的に行っていけるかどうか、法令遵守がきちんとできるかどうか熟慮する必要があります。

「トラック１台、身１つで稼ぐぞ！」という昔のドラマのようなイメージとはほど遠いですね。物流という社会の根幹を担う重要な業界の一員となるのですから、責任と誇りを持って始める覚悟が必要だと思います。

4　運送業許可に必要な５つの要件

５つの要件をすべてクリアしないと許可はおりません

運送業許可には、大きく分けて、「資金」「場所」「人」「車両」「法令試験」の５つの要件が必要になります。この５つの要件をすべてクリアしないと、許可はおりません。

この章では、大まかな部分を説明していきます。詳しくは、第３章をご覧ください。

では、１つひとつ見ていきましょう。

①場所的要件

場所的要件ですが、これは運送業を始めるにあたり必要な施設（営業所、休憩・睡眠施設、車庫、場合によっては保管施設）に関して定められたものです。

これらの施設が、都市計画法、建築基準法、農地法、消防法、道路交通法等に抵触していないことが条件になります。

車庫出入り口の前面道路の幅も、車両制限令に照らし合わせる必要がありますし、他にも細かな決まりがあります。

5つの要件の中で、施設の立地条件が最も重要なものになります。最終ページに建築基準法の用途地域等内の建築物の制限についての詳細を載せましたので、ご参照ください。

②資金的要件

運送業許可を取得するには、業務を開始するための資金の確保が必須になります。最初に考えなければならない重要な部分になります。

運送会社を経営していく上での準備資金、運転資金を明確にし、事業計画に沿った金額を算出しなければなりません。残高証明書の添付も必須になります。

車両数や従業員数、営業所や車庫の賃料によって、事業計画の資金額は変わりますし、車両についても自己所有なのか、リースなのかで変わってきます。1，300万円の場合もあれば、3，000万円超になる場合もあります。

具体的には、一般貨物自動車運送事業営業許可申請書の「事業の開始に要する資金及び調達方法」の様式に記載されている項目に沿って算出していきます。

③人的要件

人的要件ですが、これは運送業を開始するに当たって、必要となる人員や資格について定められた許可要件です。

例えば「運行管理者」・「整備管理者」などの資格保持者を用意できるか等の要件を満たす必要があります。

さらに、事業に使用する自動車の台数分の運転手確保ができているか、確保予定であるかどうかも要件として必要になってきます。

④車両の要件

トラック1台で運送業が始められますか？　という問い合わせをよくいただきますが、答えはノー。

運送業を始めるには、最低5台の車両が必要になります（霊きゅう等一部を除く）。その車両は、申請者が使用権限を有するもの、又は確保予定のものでなければなりません。

⑤法令試験

運輸支局に申請書を提出し受理されると、その直後の奇数月に役員の「法令試験」が実施されます。申請会社の役員がその試験に合格しなければ、申請要件が整っていたとしても、申請は取り下げになってしまいます（却下処分となる前に取り下げます）。チャンスは2回しかあり

〔図表1　運送業開始までのフローチャート〕

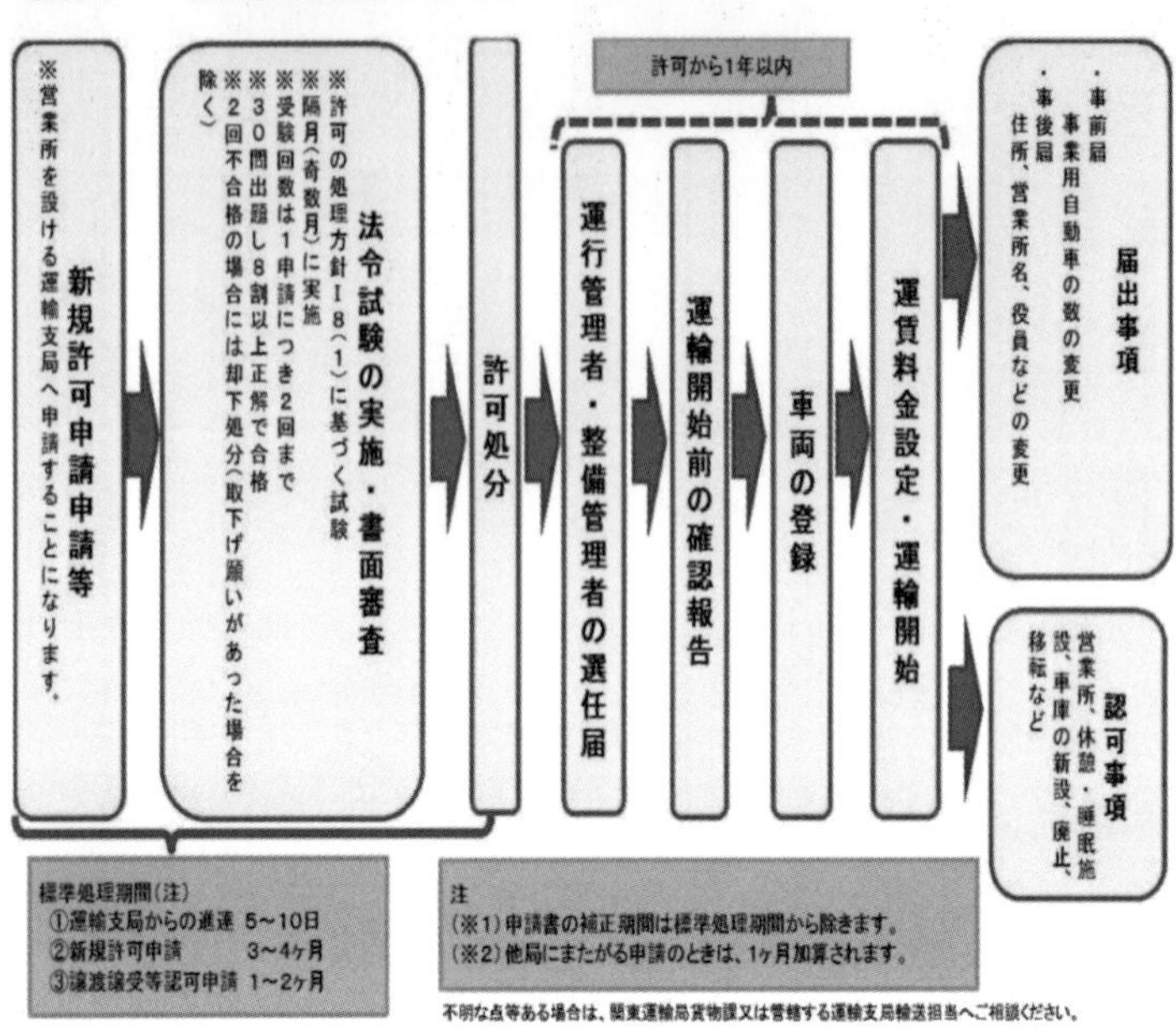

ません。

これは、運送事業を行うには、法令を理解していないことには始まらないことを示しています。

5　運送業開始までの大まかなフローチャート

実際に運送業として業務を開始するまで、どんな手続が必要なのかを見ていきましょう。

図表1は、国土交通省のホームページのものです。

ご覧いただくとおわかりのとおり、許可申請後も事業を開始するまで、さらに、いくつかの手続を踏んでいくことになります。

6　法人化について

運送業を行うのに、必ずしも法人化する必要はありません。個人事業主でも一般貨物運送事業の許可取得は可能です。

法人化に関しては、次の第2章で解説してありますので、メリット・デメリットを理解の上、判断するとよろしいかと思います。

7　運送業にかかわる専門家を知っておこう

運送業を開始し経営していくに当たっては、さまざまな専門家がいます。左記に挙げましたので、ご参考にしてください。

①行政書士

運輸局への許認可全般を担うのが、行政書士です。申請書類の作成、添付書類の収集、車庫や営業所が許可要件に適しているかどうかの調査、法令試験の対策、車両の登録、運輸支局との折衝、事業開始後のコンプライアンス面でのサポート、車両や営業所、役員などの変更手続、報告書の提出等を行います。他にも法人設立や融資の対応などが行政書士業務になります。

ただ、行政書士にはそれぞれ専門分野があります。運送業許可は、運送業専門の行政書士に相談することをおすすめします。申請書を出すだけで終わる行政書士よりも、開業後のサポートまでしっかり面倒を見てくれる行政書士を探すことも大事です。

②税理士

会計記帳や決算書の作成など、会計処理全般を担います。

増資や融資のタイミングなどについても、積極的にアドバイスをくれるような信頼できる税理士に依頼するとよいでしょう。

③社会保険労務士

運送会社を経営するには、社会保険の適用事業所にならなければなりません。就業規則や三六協定などを労働基準監督署（以下、労基署と略称）に提出する義務もあります。自分の会社に適した就業規則や雇用契約等を作成するときなど相談にのってもらえます。

労働環境に疑問や不満を持った運転手が、運送会社を退職後、労基署に駆け込む事例もよく聞きます。また、運転手の労働時間には厳密な決まりがありますので、運送業界に精通した社会保険労務士にお願いするとよいでしょう。

④弁護士

契約問題や労働者の未払賃金、交通事故問題など、法律、訴訟などの分野で必要な専門家として、弁護士は大変頼りになる存在です。

⑤司法書士

会社の役員変更や増資・減資、本店移転、支店の設置、車庫の土地などの不動産の名義変更など、登記にかかわる部分に関しては、司法書士にお願いすると安心です。

事業拡大などにより運送業を始める際にも、定款の事業目的を変更（追加）しなければなりませんので、司法書士に相談するとよいでしょう。

まとめ

士業の間では、横の繋がりを持っていることが多く、１人の専門家に依頼すると、仕事を進める際にワンストップサービスでストレスなくスムーズに業務を進行させることが可能です。当事務所でも多くの専門家と繋がっており、お客様の要望に応じた最適最良の方をご紹介しています。

一例として、個人の方が法人をつくり、運送会社を立ち上げ運営をするまでにどんな専門家が関わってくるかを見てみましょう。

まずは会社設立をするために必要な定款をつくりますが、こちらは司法書士、行政書士等が可能です。その後法務局に登記をするのは司法書士になります。

法人になり社会保険に加入する場合は、社会保険労務士の業務になります。社会保険労務士には、就業規則や三六協定などの労務関係の書類作成をお願いすることができます。また会計処理は税理士、運送業の許可取得は行政書士が関わってきます。運送業を運営する上では、コンプライアンス面で行政書士にアドバイスをもらうことができます。交通事故や契約・労使トラブル発生の際には、弁護士の出番となります。このように様々な士業がいますので、困った際にはサポートをお願いするとよいでしょう。

もちろんすべてをご自身でやることは可能かも知れません。ただ、経営者になると、顧客の開拓や荷主への挨拶回り、車の手配、ホームページなどの広告関係、人材募集や育成、運行管理などやらなければならないことが山積みになった状態の中、役所の手続をするのはいくら時間があっても足りません。

費用はかかりますが、専門家に頼めるものは丸投げしてしまったほうが、ご自身の営業活動や運送業務に専念でき、結局のところ効率よく直接の売上に繋がっていくのではないでしょうか。

時間を有効に使うためにも、またトラブルを事前に回避するためにも上手に利用することをおすすめします。ただし相性もありますので、疑問を持った場合は変える勇気も持つことが大事です。遠慮してモヤモヤした時間を過ごすことはおすすめしません。

第2章

法人設立に関する手続

1　法人にするか個人でいくか

個人事業・法人の特徴

運送業許可は、個人、法人どちらであっても取得可能です。法人経営でいくか、個人事業でいくか、どちらの形態で事業を始めるかは、経営者の選択、判断によりますが、ここでは個人事業、法人それぞれの特徴について見ていきます。

個人事業は、開設の手続が簡単です。税務署等に開業届を出せば、誰でもすぐに個人事業主になれます。法務局に印鑑登録をする必要もありませんし、登記も不要なので、費用もかかりません。

このように個人事業主のほうが気軽に始めることができます。

一方、法人はどうでしょう。

例えば株式会社で言えば、設立費用などで25万円程度が必要になります。資本金の準備も必要ですし、赤字でも毎年の法人税がかかってきます。

また、廃業するときも、個人事業主のように廃業届を出せば終了というわけにもいかず、法務局での手続や官報掲載などの手続が必要になってきます。

ただ、取引先によっては、法人であることが取引の条件になることもありますし、税金面での優遇措置や、信用度においても法人化するメリットはあるでしょう。実際には、個人申請は霊柩くらいになっており、株式会社を設立して運送業の許可を取るほうがほとんどです。

2　株式会社にするか合同会社でいくか

法律では、会社は「株式会社」、「合同会社」、「合資会社」、「合名会社」の４つの種類に分かれますが、多くは「株式会社」か「合同会社」に分かれますので、本書ではこの２つについて説明していきます。

①株式会社の特徴

・１人でも設立できる
・合同会社と比較すると設立費用が高い（25万円位）
・公証役場で定款の認証が必要
・役員の任期がある
・信用度が高い

②合同会社の特徴

・１人でも設立できる

・株式会社と比較すると設立費用が安い（登録免許税6万円程度）
・公証役場での定款認証が不要
・役員の任期がない
・決算公告が不要
・小規模の事業向きと思われる
・認知度は低め
・出資比率によらず、配当を自由に決定できる

株式会社と合同会社、どちらがよいということはありません。ただ、一般的に浸透しているのは株式会社です。特に年齢層が高い方には、合同会社はなじみがないかも知れませんので、事業規模や運営面での利便性を鑑み、どちらにするかを決めるとよいと思います。

3 まずは定款（会社の基本事項）をつくろう

株式会社や合同会社を設立するには、まず定款といって会社の決まり事を作成しなければなりません。

ここでは、定款の基本事項についてご説明します。

①社名を決めよう

法人の社名は「商号」と呼びますが、商号の中に株式会社なら、「○○株式会社」または「株式会社○○」などの文字を入れなければなりません。

また、同一所在地で同一の商号を使用してはならないことが定められていますし、有名ブランドに似ている社名も付けることはできません。似たような商号を避けるために、管轄の法務局などで同一所在地に類似の商号がないかのチェックもできます。

読みやすく、覚えやすく、すぐに思い出してもらえるような商号がよいのではないかと思います。

②資本金を決めよう

１円起業という言葉もあるように、現在は資本金の最低額は設けられていません。ですので、資本金１円でも設立は可能です。ただし、金融機関から融資を受ける場合には、資本金は起業までの資金の準備状況などを示すものになりますので、融資希望額の３分の１は欲しいところです。

また取引のことを考えますと、資本金があまりに少ない会社の場合は、不都合が生じる場合もあることを想定しなければなりません。

注意する点は、設立と同時に貨物利用運送業を取得する場合です。貨物利用運送業の申請書の中の「設立時貸借対照表」では、資本金が３００万円以上あることを証明する必要がありますので、最初から資本金の額を３００万円以上にしておくとスムーズに進めることができるのです。

③事業内容（目的）を決めよう

事業目的には、その会社が行う業務内容を記載します。必ず書くべきことは、許認可を必要とする業務です。皆さんの場合は、運送業の許可を取るので、「一般貨物自動車運送事業」と記載します。

将来的に利用運送や軽自動車で事業を行う可能性があるのであれば、最初から「第1種（第2種）貨物利用運送事業」「貨物軽自動車運送事業」と入れておくとよいでしょう。

記載したからといって、必ずしもその事業を行わなければいけないわけではありません。しかし記載のない事業は行うことができません。

将来行うことが少しでも可能性としてあるものがあれば、最初に書くことをおすすめします。事業を開始してから変更することも可能ですが、その場合には登記に関わる費用がかかります。

法人設立に関する手続定款目的の第一行目に記載する業務は、その法人のメイン業務と認識されます。会社の謄本と呼ばれる「履歴事項（現在事項もあります）全部証明書」にも記載され公表されるので、兼業の場合は、業務の優先順位を考えましょう。

業務内容は、いくつあげてもよいことになっています。記載件数に決まりはありませんが、何をやっている会社かを明確にするためにも、10個以内に納めるのが無難だと考えます。

④その他

他にも本店の所在地や役員、取締役会等に関すること、出資額などを記載します。

定款を作成した後は、株式会社の場合は公証役場での認証が必要になります。合同会社は認証が不要です。

4　株式会社設立までの手続と費用

ここでは株式会社設立までの手順と費用についてご説明します。

①株式会社設立までの手続

株式会社の設立までのおおよその手続は図表２のような流れになります。

②設立費用について

まずは資本金が必要です。以前は株式会社１，０００万円以上、有限会社３００万円以上という決まりがありましたが、現在はありません。１円起業という言葉もあるように、資本金は１円でも構いません。

その他に、定款認証料が約３万円～（電子定款でない場合は、他に印紙代が４万円必要）です。これは公証役場で支払います。その他、登記の際に必要な登録免許税が15万円かかります。

１円起業といいますが、最初に25万円程度の資金がないと、実質株式会社は設立できません。

〔図表2　株式会社設立までの手続〕

定款をつくります。

▼

公証役場で定款の認証を受けます。

▼

資本金を金融機関に振り込みます。

法人名ではなく、個人名で振り込みます。

▼

設立登記をします。

登記に必要な申請書を揃え、法務局に申請します。補正がなければ、おおよそ2週間で登記が完了します。同時に会社の印鑑登録もするとよいでしょう。

▼

設立の届出をします。

税務署、都道府県税事務所等に届出をします。

〔図表3　合同会社設立までの手続と費用〕

定款をつくります。

▼

資本金を金融機関に振り込みます。

法人名ではなく、個人名で振り込みます。

▼

設立登記をします。

登記に必要な申請書を揃え、法務局に申請します。補正がなければ、おおよそ2週間で登記が完了します。同時に会社の印鑑登録もするとよいでしょう。

▼

設立の届出をします。

税務署、都道府県税事務所等に届出をします。

また会社印を必ず準備します。こちらは印鑑屋さんやインターネットなどで購入しますが、値段には幅があります。

5　合同会社設立までの手続と費用

①合同会社設立までの手順

合同会社設立までの手続は、株式会社とほぼ変わりませんが、合同会社設立においては、公証役場での定款認証は不要です。

②設立費用について

定款認証が不要なので、設立にかかる経費は、登録免許税６万円のみです。

6　融資について考えよう

運送業は準備の段階でまずお金がかかります。詳しいことは後述しますが、資金計画を立て、申請を出してからもある一定期間、その金額を維持しておかなければいけません。

準備段階だけではありません。どんな事業であっても経営していく上で、運転資金は必要です。

資金が潤沢にあれば問題はありませんが、そういった人のほうが少ないかも知れません。資金不足で廃業となっては、何のために大変な思いをして事業を始めたのか、わからなくなります。

資金繰りが悪化してから金融機関を訪ねても、お金を貸してくれるでしょうか？　相手の立場からしたら、貸したくないですよね。

では、創業したての会社や個人は、銀行からお金を借りられるのでしょうか？　実は創業したばかりで決算書や実績もない会社や個人が銀行からお金を借りられることは、ほぼありません。

そんなときには、民間の銀行は無理でも「国」の制度を利用すればよいのです。

その国の制度「創業融資」（通称）について見ていきましょう。

国の創業融資

創業融資には、主に次の2つがあげられます。

①日本政策金融公庫の「新創業融資」

②信用保証協会・自治体他・金融機関の三者、そして申込受付機関である商工会議所・商工会などが連携・協力している「制度融資」

②は自治体によって異なるので、本書では日本全国で利用でき、１００％政府出資の政府系金融機関である日本政策金融公庫の「新創業融資」について、概要のみではありますが簡単にご説明したいと思います。

◆利用できる方

次の①～③のすべての要件に該当すること。

①創業の要件

新たに事業を始める方、または事業開始後税務申告を２期終えていない方。

②雇用創出等の要件

「雇用の創出を伴う事業を始める方」、「現在お勤めの企業と同じ業種の事業を始める方」、「産業競争力強化法に定める認定特定創業支援事業を受けて事業を始める方」または「民間金融機関と公庫による協調融資を受けて事業を始める方」等の一定の要件に該当する方（既に事業を始めている場合は、事業開始時に一定の要件に該当した方）

③自己資金要件

新たに事業を始める方、または事業開始後税務申告を1期終えていない方は、創業時において創業資金総額の10分の1以上の自己資金（事業に使用される予定の資金をいいます）を確認できる方。ただし、「現在お勤めの企業と同じ業種の事業を始める方」、「産業競争力強化法に定める認知特定創業支援事業を受けて事業を始める方」等に該当する場合は、本要件を満たすものとする。

◆資金の使いみち

事業開始時または事業開始後に必要となる事業資金。

◆融資限度額

3，000万円（うち運転資金1，500万円）。

◆返済期間

各種融資制度で定める返済期間以内。

◆利率（年）

使いみち、融資期間、担保の有無などによって異なる利率が適用されます。

◆担保・保証人

原則不要

※原則、無担保無保証人の融資制度であり、代表者個人には責任が及ばないものとなっています。法人が希望する場合は、代表者（実質的な経営者である者や共同経営者も含む）が連帯保証人となることも可能です。その場合は利率が0・1％低減されます。

詳しくは、日本政策金融公庫のホームページ（https://www.jfc.go.jp/）か、お近くの店舗でご確認ください。

第3章

運送業（一般貨物自動車運送事業）許可の要件とは

本章では、運送業許可に必要な要件を詳しく説明していきます。第1章にも書きましたように、運送業許可を取得するには、大きく分けて5つの要件があります。その要件が1つでも欠けていると、許可は下りません。

では1つひとつ見ていきましょう。

1　場所的要件

場所的要件とは、運送業を経営していくにあたり必要となる施設、具体的には「営業所」「睡眠施設」「休憩施設」「車庫」「(場合によっては) 保管施設」に関して求められるものです。

他の事業、許認可に比べ多くの制約があります。

これらの施設が、都市計画法、建築基準法、農地法、消防法、道路交通法等に抵触していないことが前提となります。これをすべてクリアしないと、許可は下りませんので、場所選びには細心の注意が必要です。

①営業所の要件

◆使用権限があること

営業所は自己所有・賃貸のいずれでも構いませんが、使用権限を有することの裏づけが必要になります。自己所有の場合は建物の謄本が必要になります。

また、自己所有であっても共有持ち分の場合は、所有者全員の使用承諾書の提出が求められます。

賃貸はアパートでも大丈夫ですが、事務所として利用可能かどうかが書かれた賃貸借契約書が必要です。

また、賃貸借の契約期間が2年に満たない場合は、契約期間満了時に自動更新される旨の記載が契約書に記載されている必要があります。ない場合は、誓約書を添付します。

◆農地法、都市計画法、建築基準法等に抵触していないこと

農地法、都市計画法、建築基準法等関係法令に抵触している物件を、営業所として使用することはできません。

営業所を構えようとする土地の登記簿上の地目が、田・畑の場合は、農地転用手続が必要になります。農地転用は時間もかかりますし、実際に農地を宅地にできるかどうかの判断基準も複雑です。

自治体によって異なるので、農地転用が可能かどうかを聞いてみるとよいでしょう。

さらにその土地が市街化調整区域の場合は、開発許可が必要になります。

また、第1種低層住居専用地域、第2種低層住居専用地域、第1種中高層住居専用地域では、用途地域内の建築物の用途制限の関係で、原則として運送業の営業所の設置はできません。第2種中高層住居専用地域も面積によりますが不可になります（床面積が1，５００㎡以下であれば2階以

下は可)。市街化調整区域は基本的に建物が建てられないため、調整区域の車庫にプレハブを建てて営業所にすることは難しいとお考えください。

用途地域はインターネット情報や市町村の担当者に聞くことで確認ができます。

◆営業所の面積について

営業所の面積について具体的な数字の規程はありませんが、事務机、椅子、棚などが置け、事務作業ができる程度の面積は必要です。

②休憩・睡眠施設の要件

休憩・睡眠施設は、営業所または車庫に併設しなければならず、単独で設けることはできません。営業所に併設する場合には、事務スペースと休憩・睡眠のスペースを分けなければならず、同室を使う場合はパーテーションで区切る必要があります。パーテーションはネットショップなどでも、おしゃれで機能的なデザインの物が見つかるそうです。

面積ですが、運転手が休憩・睡眠施設で睡眠を取る必要がある場合は、1人当たり2・5㎡以上の広さを確保しなければなりません。運転者が睡眠をとらない業務体系の場合は、ソファーなどがあれば十分です。

その他、使用権限があること、農地法、都市計画法、建築基準法等関係法令に抵触しない施設であるということは、営業所と同様です。

③車庫の要件

運送業の車庫は、市街化調整区域でも可能ですが、農地はそのままを車庫にすることはできず、農地転用許可が必要になります。ただ前述したとおり、農地転用許可はハードルが高く、時間と労力の割に、必ずしも許可が下りるとも限りません。手間と時間を考えれば、農地以外の土地を探したほうが早いと思います。

農地か否かの確認は、土地の謄本（法務局で取得）や管轄の農業委員会などで確認することができます。地目が田・畑の場合は注意が必要です。

◆営業所との距離

会社には点呼義務が課されているので、本来であれば営業所に車庫が併設されているのが理想ですが、なかなかそうもいきません。運送業許可には、営業所と車庫の間の距離が決められています。営業所と車庫の距離が、直線距離で10㎞以内でなければなりません（ただし、東京23区と横浜市、川崎市は20㎞以内）。あくまでも直線距離ですので、地図上で確認できますが、微妙な場合は注意が必要です。

◆車庫の面積

運送事業に使用する車両すべてが駐車できる面積が必要です。車両と車庫の境界、及び車両と車両の間に50㎝以上の間隔を確保する必要があります。

車両の積載量によって、図表４のように、１両当たりの必要面積が決まってきます。

〔図表４　所要面積〕※ご参考

車両	１両当たり必要収容能力
普通	３８　㎡
小型	１１　㎡
けん引	２７　㎡
被けん引	３６　㎡

面積が足りていても余裕がない場合は、車両の配置図を提出します。

◆車庫の前面道路

車両制限令に基づき、車庫の出入り口の道路幅員が運送業の車庫に適しているかを判断されます。

そのために幅員証明の提出が必要です。その道路の管理者（県や市町村）で取得しますが、国道の場合は不要です。

道路の必要幅員は、道路の種類や車幅によって変わってきます。

道路幅員が６・５ｍあればおおよそ問題ありませんが、それ未満の場合は車庫として使用できない場合があります。

６ｍ道路と言っても、それが道路幅員なのか、有効車道幅員なのかで判断が分かれます。

「６ｍ道路だから契約したのに駄目だった」という声も沢山聞きます。

道路管理者によっても変わってきますので、契約前に担当者に確認しましょう。

◆営業所と車庫選び

運送会社を営む上で、利便性を考えると車庫に営業所が併設されていることが理想です。ただ、「市街化調整区域は、車庫の土地使用料が安く済むが、建物は建てられない」「営業所を優先し市街化調整区域内に車庫を設けると、土地使用料に費用がかかる」など、施設選びにはかなりの時間と労力が必要です。運送業に詳しい不動産会社は限られていますので、不動産会社に対し、きちんとした要件の説明が重要です。「以前運送会社が入っていた」という言葉を、真に受けると危険です。

2　資金的要件

資金的要件とは

資金的要件とは、事業を営むに足る資金を確保できているかを判断する条件のことです。具体的には、一般貨物自動車運送事業許可申請の様式にある試算表を元に計算し、その合計金額と同額もしくはそれ以上の自己資金を残高証明等で証明します。

必要金額とは

大まかに言いますと、次の①から⑩の各費用を合計した金額以上が必要金額となります。

①人件費
②燃料費
③油脂費
④修繕費
⑤車両費
⑥施設購入・使用料
⑦什器・備品費
⑧施設賦課税
⑨保険料
⑩登録免許税（12万円）
⑪その他（旅費、会議費、水道・光熱費、通信・運搬費、図書・印刷費、広告宣伝費等）

従業員数や車両数、車両は購入かリースか、営業所は自己所有か賃貸かなどで、大きく変わってきます。そして、合計額以上の金額があることを、申請時と許可までの適宜の時点（いつの時点かは、運輸局の指示に従います）の2回、残高証明書等で証明する必要があります。

自己資金の考え方について

自己資金額については、所要資金の全額以上の自己資金が、申請日以降許可日（又は認可日）までの間、常時確保されていることが必要です。
・自己資金は、申請する運輸事業に係る「預貯金」を基本とします。
・自己資金は、預貯金で足りない場合、預貯金以外の「流動資産（売掛金等）も含めることができます。
・預貯金額は、申請日時点及び許可等までの適宜の時点の「残高証明書」等の提出をもって確認されます。
・銀行口座は複数であっても問題ありませんが、すべての口座の残高証明書が必要になります。
・流動資産額は、申請日及び許可等までの適宜の時点の「見込み貸借対照表」等をもって確認されます。
・基本的な考え方。
　2回目は、1回目の資金確保の確認ですので、1回目を超える金額は認められません（流動資産についても同じ考え）。

※注
・複数口座の場合、1回目と2回目ともに同一の金融機関、口座の残高証明書が必要です。
・複数口座の場合、1回目と2回目ともに各口座の残高の証明日を合わせます（残高証明書の発行日ではありません）。

・流動資産の場合、1回目と2回目ともに同じ科目が自己資金となります。
・2回目の提出を預貯金通帳の写しで行う場合、申請時点からのすべての時点の金額を確認されます。

3 人的要件

運送業を営むには、施設が整い車両があるだけでは不十分です。ここでは運送業許可を取るために必要な人の要件について説明していきます。

①欠格事由に当てはまらないこと

事業主及び役員全員が、次にあげる貨物自動車運送事業法5条の欠格事由に当てはまらないことが第一の要件になります（わかりやすく大まかな説明になっています）。

・1年以上の懲役又は禁錮以上の刑に処せられ、その執行が終わり又は執行を受けることがなくなった日から、5年を経過しない者
・一般貨物自動車運送事業または特定貨物自動車運送事業の許可取り消しを受け、その取り消しの日5年を経過しない者。
・未成年者または成年被後見人。

②運行管理者を確保すること

運送業の営業所には、車両台数に応じた運行管理者を置く必要があります。申請時に確保できなくても確保予定で申請することができます。

◆運行管理者とは

運行管理者とは、ドライバーさんに指示を出すいわゆる司令塔のような存在です。運行管理者は、運転者の乗務割の作成や休憩・睡眠施設の保守管理、運転者の指導監督、点呼による運転者の疲労・睡眠健康状態等の把握や安全運行の指示等、事業用自動車の運行の安全を確保するための業務を行います。

◆運行管理者の主な業務

ア、過労運転の防止

乗務記録、運行記録計により乗務時間を把握し、運転者の適切な勤務時間、乗務時間の設定や必要に応じて交替運転者を配置する等、乗務員の適正な勤務体制を確立させます。

作成し、定められた勤務時間及び乗務時間の範囲内において乗務割を作成し、これに従い運転者を乗務させなければなりません。

イ、点呼の実施

運転者に対して、乗務前、乗務後に点呼を実施し、飲酒の有無、疲労、睡眠健康状態の確認を行い運行可否の決定を行うとともに、悪天候時の運行経路の変更など安全な走行を確保するため具体的な指示を行います。

乗務しようとする運転者・乗務を終了した運転者に対して、対面により点呼を行い、報告を求め、運行の安全を確保するために必要な指示を与えなければなりません。

ウ、運転者に対する指導監督

運行の安全を確保するため、運転者に対して常日頃から指導監督を行い、安全関係法令等の徹底を図ります。

運行する路線の状態、これに対処できる運転技術、法令に定める自動車の運転及び適性診断を受診させる等運転者に対して、指導、監督及び特別な指導を行わなければなりません。

◆運行管理者になるには

運行管理者になるには、次の2つの方法があります。

ア、運行管理者試験に合格すること

運行管理者は国家資格です。運行管理試験は年に2回（3月と8月）実施されますが、受験するに当たり、次のいずれかの受験資格が必要です。

・運行管理に関し1年以上の実務経験を有する者
・自動車事故対策機構等が行う基礎講習を受講した者。

運行管理者試験に関する詳細は、運行管理者センターへ、基礎講習に関する詳細は、自動車事故対策機構等の実施機関へお問い合わせください。

なお、基礎講習の日程はホームページで確認できますが、希望の場所と日時はすぐに埋まってしまう可能性があるので、お早めに受講申し込みをすることをおすすめします。また、貨物と旅客を選択しますので、お間違えのないよう。もちろん「貨物」を申し込んでくださいね。

イ、5年以上の実務経験及び5回以上の自動車事故対策機構等の講習を受講すること。

・貨物事業者での運行管理に関し、5年以上の実務経験があること。

・自動車事故対策機構等の基礎講習及び一般講習を5回以上受講すること（1年に1回分しかカウントされません）。

要するに、試験合格以外で運行管理者になるには、最低5年はかかることになります。

◆運行管理者の人数

運行管理者は営業所に必ず置かなければならない人員ですが、車両台数によってその必要人数が変わります（台数にトレーラーは含みません）。

◆運行管理補助者の選任

運行管理補助者は運行管理者を補助する立場にあります。

具体的には運行管理者が休みのときなどに点呼の3分の2を取ることや運行管理者が実施する業務の履行補助業務ができます。

選任は義務づけられてはいませんが、実質的には必要になるので、早めに人選しておきましょう。

補助者になるには、自動車事故対策機構等の運行管理者基礎講習を修了していること、運行管理

〔図表5　運行管理者の数〕

0から29台	1人
30から59台	2人
60から89台	3人

90台以降は30台ごとに1人を増やさなければなりません。

者資格者証の交付を受けていることが条件になります。前述しましたが、基礎講習はすぐに埋まってしまうので、早めに予約をしておくことをおすすめします。

◆運行管理者の欠格要件

地方運輸局長から解任命令を出されて解任されて、解任の日から2年経過していない人は、運行管理者にはなれません。

③整備管理者を確保すること

運送業の許可を取るには、整備管理者を選任することが条件になります。申請時に確保できなくても確保予定で申請することはできます。また、運行管理者のように選任の人数に決まりはありませんので、車両が何台であっても営業所に1人を配置すれば、ルール上は問題ありません。ただし、台数が多くなると現実的には無理が生じるので、台数に合った整備管理補助者を選任するのがよいでしょう。

運行管理者と整備管理者は、兼任することが可能です。

◆整備管理者とは

整備管理者は、自動車の整備や点検の実施、整備記録の管理、車庫の管理等を行います。

◆整備管理者の権限等

・日常点検の実施方法を定める。
・定期点検を実施する。
・随時必要な点検を実施する。
・点検の結果必要な整備を実施する。
・自動車車庫を管理する。
・点検及び整備等に関し、運転者、整備員等を指導・監督する。
・点検及び整備に関する記録簿を管理する。
・日常点検の結果に基づき、運行の可否を決定する。
・定期点検と整備の実施計画を定める。
・整備管理者は、整備管理規程を定め、これに基づき業務を行わなければなりません。

◆整備管理者になるには

整備管理者になるには、次の2つの方法があります。

ア、2年以上の実務経験＋整備管理者選任前研修を修了した者ここでいう2年の実務経験とは、大きく分けて次の2つになります。
- 整備の管理を行おうとする自動車と「同じ種類（二輪自動車以外又は、二輪自動車の二種類）の自動車」の「点検もしくは整備に関する実務経験」。
- 整備の管理を行おうとする自動車と「同じ種類の自動車」の整備の管理に関する実務経験。

こちらを詳しく説明しますと、

「同じ種類の自動車」に関する実務経験でなければなりませんので、二輪自動車の整備経験だけでは、トラックなどの車両の整備管理者にはなれないことになります。

また、「点検もしくは整備に関する実務経験」というのは、

- 整備工場、特定給油等における整備要員として点検・整備業務を行った経験（技術上の指導監督的な業務の経験を含む）、
- 自動車運送事業者の整備実施担当者として点検・整備業務を行った経験、
- 整備責任者として車両管理業務を行った経験、

のことをいいます。

運送会社に勤務したことのあるドライバーであれば、当然のことながら日常点検を行っている（はず）ので、実務経験として認められます。

実務経験を2年積んだ証明として個人の氏名・生年月日の他に、勤務していた運送会社の名称・所在地・勤務期間・職名・業務の大要等を記入します。

1社で2年に足りない場合は、合計で2年以上になるように複数社記入します（２０２１年10月現在は、会社の印鑑は不要になっています）。

この実務経験証明書の他に、各運輸支局が行っている整備管理者選任前研修の受講が必要です。こちらもすぐに予約が埋まってしまうので、早めに予定を入れましょう。

イ、整備士の資格を有する者

１級、２級または３級の自動車整備士の資格を持つ者。

◆整備管理者の欠格要件

地方運輸局長から解任命令を出されて解任されて、解任の日から2年経過していない人は、整備管理者にはなれません。

④必要人数の運転者を確保すること

運送業の許可を取得するためには、当然ながら、運転手の確保が必要になります。

申請の時点で確保できなくても、確保予定であれば問題ありません。

運転者ですが、日々雇い入れられる者、２か月以内の期間を定めて雇用される者、使用期間中の者（14日を超えて引き続き使用される者を除く）は認められません。また、事業用自動車を運転することができる自動車免許を持っていなければなりません。

4　車両の要件

運送業はトラック1台では始められません（霊柩・一般廃棄物・島しょは除きます）。ここでは運送業許可に必要な車両の要件を見ていきましょう。

①5台以上の車両を用意すること

運送業を始めるには、最低5台の車両が必要です。トラクターとトレーラーはそれぞれをカウントすることはできず、セットで1台となります。車両ですが、車検証の用途のところに「貨物」と記載されていれば、ワゴン車（最大積載量0は不可）でも四ナンバーの車でも問題ありません。ただし、軽自動車は含まれません。

なお、車検証上の所有者や使用者が必ずしも申請者名義の必要はありませんが、リースの契約書など使用権限があることを証する書類の提出が必要になります。

②車両の使用権限について

車両は車検証上の所有者や使用者が必ずしも申請者名義でなくても構いませんが、その場合は使用権限があることを証明します。

その使用権限については、次の書類で証明をします。

・自己所有　車検証（所有者または使用者欄に載っていること）。
・リース　契約書（契約期間1年以上必要）。
・新規購入　契約書。

よくあるケースとして、車両の所有者が、会社の社長個人の名義になっていることがあります。

その場合は、事前に会社への名義変更手続が必要です。または、許可取得後速やかに、会社名義に変更をするという宣誓書を提出しなければなりません。

5　法令試験

運送業許可を取得するには、役員が法令試験に合格しなければなりません。常勤の役員が複数いても、1回の試験には1名しか受験できません。

また、この法令試験は運行管理者試験とは異なりますので、運行管理者試験に合格していても、この試験を受験する必要があります。

運行管理者試験とは異なり、回数に制限があります。

ここでは、法令試験とはどのようなものなのかを説明していきます。

①受験する人

法人の場合は常勤役員のうち1人、個人の場合は事業主が受験します。運行管理者資格を持っていてもそれとは別物ですので、誤解のないようご注意ください。

②試験日

申請書が運輸支局で受理されると、試験日の約2週間前に案内の通知が申請者に郵送されます。試験は奇数月に行われますので、2か月に1回のチャンスとなります。

奇数月に受理された場合は、翌々月の奇数月に、偶数月に受理された場合は、翌月が試験日となります。具体的には、1月に受理された場合は3月に試験、2月に受理された場合は、翌3月が試験日となります。

③出題範囲等

- 貨物自動車運送事業法
- 貨物自動車運送事業法施行規則
- 貨物自動車運送事業輸送安全規則
- 貨物自動車運送事業報告規則
- 自動車事故報告規則

・道路運送法
・道路運送車両法
・道路交通法
・労働基準法
・自動車運転者の労働時間等の改善のための基準
・労働安全衛生法
・私的独占の禁止及び公正取引の確保に関する法律
・下請代金支払遅延等防止法

試験時間は50分で、問題は全部で30問。問いは○×形式で、24問正解で合格です。かなり厳しい試験ですが、運行管理者試験の問題が理解できていれば合格は十分可能です。

当日参考資料などを持ち込むことはできませんが、関係法令等の条文が載った条文集が配布されます。国土交通省のホームページに法令試験の条文集が載っていますので、事前に確認しておくとよいでしょう。

④チャンスは2回

法令試験は1度失敗しても、1回だけ再試験のチャンスがあります。その2度目の試験は、別の常勤役員の方でも構いません。それでも失敗した場合は、申請の取り下げ又は却下処分となります。

2度の試験が不合格となってしまいますと、申請のやり直しになりますので、許可取得までかなりの時間を要してしまいます。そうならないためにも、2回以内で合格するよう準備をしっかりしましょう。

⑤試験結果

結果は1週間ほどで通知されます。

⑥試験対策

当方が一般貨物運送事業許可取得のお手伝いをさせていただいている方の中にも、法令試験に不安をお持ちの方は多いです。

運行管理者試験に合格している方でも、内容は異なるわけですから、事前の対策は必要だと考えます。地方運輸局のホームページに「法令試験条文集」と「過去問」が掲載されているので、印刷し何度も読み込んでおくとよいでしょう。試験当日は条文集が配布されるので、すべてを暗記する必要はないかも知れませんが、試験時間は50分。30問あるので、1問2分弱で答えなければなりません。内容の理解はもちろんのこと、回答するスピードもポイントですので、条文をすぐに探せる程度の読み込みはしておいたほうがよいと思います。運行管理者資格をお持ちでない方は、これを機に運行管理者資格を取ってしまうのも一考かと思います。

第4章

許可取得から運輸開始まで

運送業は許可が下りてすぐに事業が始められるものではありません。運輸開始届を出して始めて運送事業を始めることができるのです。

この章では、許可の取得から運輸開始までの間にやるべきことを説明致します。

1　許可取得から運輸開始までの流れ

許可取得から運輸開始までのフローチャートは図表6のとおりです。

審査の上、申請書に不備がなく、法令試験に合格すれば許可となります

▼

運輸支局で許可書の交付式、講習会（運輸支局によって異なります）

▼

登録免許税の納付（12万円）

▼

〔図表６　許可取得から運輸開始までの流れ〕

運行管理者、整備管理者選任届の提出

↓

（社会保険関係の加入）

↓

運輸開始前の確認書

↓

事業用自動車等連絡書の発行後、車両の登録

↓

運賃料金設定届の提出

↓

運輸開始届の提出（許可日から1年以内）

↓

運輸開始から3～6か月程で適性化事業実施機関の巡回指導

2　運行管理者・整備管理者選任等届出書の提出

運行・整備管理者選任届出書に必要事項を記入し、管轄の運輸支局に提出します。

運行管理者に関しては、運行管理者資格者証のコピーを、整備管理者に関しては、整備管理者選任前研修修了証または、整備士合格証のコピーを添付します。

整備士の国家資格のない方は、整備管理者実務経験証明書が必要です。勤務していた事業所名を記載するのですが、トータル2年になるよう気をつけましょう。1か所で期間が足りない場合は、2か所、3か所と記載することになります。

3　社会保険関係の加入

運輸開始確認報告までに入る必要

運送会社は社会保険、労働保険の加入が義務づけられています。この後に説明する運輸開始前確認報告の添付書類として、社会保険や雇用労災保険の書類が求められていますので、それまでに入っておく必要があります。

申請時に社会保険に加入していなくても大丈夫ですが、運転開始前確認報告までに入っていないと連絡書が発行されないので、実質緑ナンバーを付けることができません。

会社が適用事業所になるだけでなく、運転手が社会保険に加入済みであること、運転手人数が雇用保険に入る必要があります。ご自身での手続が負担になるようであれば、社会保険労務士にお願いするとよいでしょう。

4　運輸開始前確認報告

こちらの報告書には、運行管理者、整備管理者、運転者の氏名や社会保険等の加入状況、車両一覧等を記入します。

書類は、運行管理者・整備管理者選任届、選任運転者の運転免許証、労働保険関係成立届、社会保険の新規適用届、会社が労災に加入していることの証明などが必要です。

健康保険・厚生年金保険は、勤務日数などによって加入義務がない人は加入の必要はありません。

5　事業用自動車等連絡書の発行

こちらは、保有の車両を営業用の緑ナンバーとして登録するために必要な書類になります。

連絡書、手数料納付書、車検証のコピーを、新規申請の提出先と同じ輸送の窓口に持って行き、押印してもらいます。

その後自動車の登録窓口に提出します。

6　車検証の書き換えとナンバー変更

連絡書の発行の後は、車検証の書き換えです。車検証の項目の中の「自家用・事業用の別」の欄に「事業用」と入れるための手続になります。

連絡書に記載された会社の住所や使用者が、車検証に反映されます。

新車購入、自社の白ナンバーからの変更など、書き換え前の状況によって書類の書き方や添付書類が異なります。

7　運賃料金設定届の提出

許可が下りたら、運賃料金を設定し、運輸支局に運賃料金設定届を出さなければなりません。

特に決まった書式はなく、自社で定めた料金運賃表を提出します。運輸局のひな形を元に、距離性にするか、時間制にするか、品目や深夜、休日によって割増料金を設定するなど決めてもよいでしょう。

こちらは、８の運輸開始届と同時に提出することができます。

8　運輸開始届の提出

許可取得日から1年以内に、運輸開始届出書を提出しなければなりません。

こちらでは、事業用ナンバー変更後の車検証の写しと任意保険の契約書・証書等の写しを添付します。

この届出を行って初めて運送事業を開始したことになります。

9　トラック協会適正化事業実施機関の巡回指導

運輸開始届を出すと、おおよそ6か月以内にトラック協会（貨物自動車運送適正化事業実施機関）の担当者が営業所にやってきて、帳簿類のチェックなどを行います。これを巡回指導と呼びます。その後は数年に1回のペースで行われます。

巡回指導が行われるときには、あらかじめ運送事業者に対し書面で告知があります。

そこに書かれている帳票類を揃えておくだけでなく、きちんと遂行されているかを確認されます。

チェック項目は次の通りで、38項目あります（図表7）。

①事業計画等

・主たる事務所及び営業所の名称、位置に変更はないか。
・営業所に配置する事業用自動車の種別及び数に変更はないか。
・自動車車庫の位置及び収容能力に変更はないか。
・乗務員の休憩・睡眠施設の位置、収容能力は適正か。
・乗務員の休憩・睡眠施設の保守、管理は適正か。
・届出事項に変更はないか。（役員・社員、特定事業者に係る運送の事業者の名称変更等）
・自家用貨物自動車の違法な営業類似行為（白トラの利用等）はないか。
・名義貸し、事業の貸渡し等はないか。

②帳票類の整備、報告等

・事故記録が適正に記録され、保存されているか。
・自動車事故報告書を提出しているか。
・運転者台帳が適正に記入等され、保存されているか。
・車両台帳が整備され、適正に記入等がされているか。

・事業報告書及び事業実績報告書を提出しているか。（本社巡回に限る）

③運行管理等

・運行管理規程が定められているか。
・運行管理者が選任され、届出されているか。
・運行管理者に所定の講習を受けさせているか。
・事業計画に従い、必要な運転者を確保しているか。
・過労防止を配慮した勤務時間、乗務時間を定め、これを基に乗務割が作成され、休憩時間、睡眠のための時間が適正に管理されているか。
・過積載による運送を行っていないか。
・点呼の実施及びその記録、保存は適正か。
・乗務等の記録（運転日報）の作成・保存は適正か。
・運行記録計による記録及びその保存・活用は適正か。
・運行指示書の作成、指示、携行、保存は適正か。
・乗務員に対する輸送の安全確保に必要な指導監督を行っているか。
・特定の運転者に対して特別な指導を行っているか。
・特定の運転者に対して適性診断を受けさせているか。

④**車両管理等**

・整備管理規程が定められているか。
・整備管理者が選任され、届出されているか。
・整備管理者に所定の研修を受けさせているか。
・日常点検基準を作成し、これに基づき点検を適正に行っているか。
・定期点検基準を作成し、これに基づき、適正に点検・整備を行い、点検整備記録簿等が保存されているか。

⑤**労基法等**

・就業規則が制定され、届出されているか。
・三六協定が締結され、届出されているか。
・労働時間、休日労働について違法性はないか。（運転時間を除く）
・所要の健康診断を実施し、その記録・保存が適正にされているか。

⑥**法定福利費**

・労災保険・雇用保険に加入しているか。
・健康保険・厚生年金保険に加入しているか。

⑦輸安全マネジメント

・運輸安全マネジメントの実施状況は適正か。

事業を開始し初めての巡回指導は、特に緊張するかも知れませんが、やるべきことをしっかりやっているのであれば、あまり構えすぎる必要もありません。

適正化からの案内に記載の帳票類を、すぐに見せられるようにすべてデスクの上に並べておきましょう。

入出金などの会計帳簿類もチェックが入りますので、税理士さんが管理している場合は、早めに取寄せておく必要があります。

帳簿類の他には、営業所や本社の入口に看板が出ているか、約款などの掲示義務があるものが、きちんと壁に掲示されているか、申請時の間取りが変更されていないかなど隅々まで見られます。

当方の立会い経験ですと、所要時間は約１時間半、２人の担当者の方がいらっしゃいます。事前に車庫の確認を終えてから来る場合が多く、車庫の現状についても申請時と変更がないかの質問を受けます。

改善を要する事項については、その場で改善点を指摘され用紙を渡されますので、改善の上２か月以内に報告書を提出します。

〔図表７　巡回指導チェック表〕

巡回指導　チェック表

	チェック項目	実施	
1	主たる事務所及び営業所の名称、位置に変更はないか		
2	営業所に配置する事業用自動車の種別及び数に変更はないか		
3	自動車車庫の位置及び収容能力に変更はないか		
4	乗務員の休憩・睡眠施設の位置、収容能力は適正か		
5	乗務員の休憩・睡眠施設の保守、管理は適正か		
6	届出事項に変更はないか		
7	自家用貨物自動車の違法な営業類似行為（白トラの利用等）はないか		
8	名義貸し、事業の貸渡し等はないか		
9	事故記録が適正に記録され、保存されているか		
10	自動車事故報告書を提出しているか		
11	運転者台帳が適正に記入等され、保存されているか		
12	車両台帳が整備され、適正に記入等がされているか		
13	事業報告書及び事業実績報告書を提出しているか。（本社巡回に限る。）		
14	運行管理規程が定められているか		
15	運行管理者が選任され、届出されているか		
16	運行管理者に所定の講習を受けさせているか		
17	事業計画に従い、必要な運転者を確保しているか		
18	過労防止を配慮した勤務時間、乗務時間を定め、これを基に乗務割が作成され、休憩時間、睡眠のための時間が適正に管理されているか		
19	過積載による運送を行っていないか。		
20	点呼の実施及びその記録、保存は適正か		
21	乗務等の記録（運転日報）の作成・保存は適正か		
22	運行記録計による記録及びその保存・活用は適正か		
23	運行指示書の作成、指示、携行、保存は適正か		
24	乗務員に対する輸送の安全確保に必要な指導監督を行っているか		
25	特定の運転者に対して特別な指導を行っているか		
26	特定の運転者に対して適性診断を受けさせているか		
27	整備管理規程が定められているか		
28	整備管理者が選任され、届出されているか		
29	整備管理者に所定の研修を受けさせているか。		
30	日常点検基準を作成し、これに基づき点検を適正に行っているか。		
31	定期点検基準を作成し、これに基づき適正に点検・整備を行い、点検整備記録簿等が保存されているか		
32	就業規則が制定され、届出されているか		
33	三六協定が締結され、届出されているか		
34	労働時間、休日労働について違法性はないか。（運転時間を除く）		
35	所要の健康診断を実施し、その記録・保存が適正にされているか。		
36	労災保険・雇用保険に加入しているか		
37	健康保険・厚生年金保険に加入しているか		
38	運輸安全マネジメントの実施状況は適正か。		

第5章

運送会社の運営について

運送会社を運営していく上で、知っておかなければならない様々な法律や規則があります。取りそろえておかなければならない日々の帳票類や記載方法、保管期間等を確認し、日々やるべきことをしっかりとやっていきましょう。

1　準備しなければいけない帳簿類・労務関係

①運行管理関係

◆運転者台帳

運転者に関する基本事項（作成年月日、氏名、生年月日、住所、電話番号、雇入れ日、運転者選任日、血液型、健康状態、運転免許証情報、適性診断の受診状況、事故歴など）を記入します。

運転者台帳用のファイルを用意し、運転免許証のコピーや健康診断通知書等と一緒に入れておくことをおすすめします。

運転免許証に写真があっても、運転者台帳にも別途写真の添付が必要です。無帽、無背景のカラー写真をスマートフォンで撮影し、プリントアウトしたものなどを貼っておくとよいでしょう。

◆点呼記録簿

運送事業者は、運転手の乗車前・乗車後に対面点呼を取ることが義務づけられています。そしてその結果を記録として残しておく義務もあります。それがこの点呼記録簿になります。

点呼記録簿には、運転者の氏名、車両番号、点呼時刻、点呼方法、アルコール検知器の使用、酒気帯びの有無、疲労疾病睡眠の状況、日常点検の状況、点呼担当者の氏名（印鑑）を記載します。

点呼は対面点呼が基本です。深夜や早朝だからといって、電話での点呼は認められておりません。また、点呼は運行管理者又は運行管理補助者が行いますが、補助者は点呼全体の３分の２までしか行うことができません。運行管理者と運行管理補助者が同姓の場合（ご夫婦など）は、印鑑をわかりやすく変えるなど、誰が点呼を行ったかを明確にしてください。

対面点呼で体調面の心配がないか、睡眠は十分取っているか、アルコールの匂いがあるかなどもきちんとチェックします。

◆乗務記録・運転日報

運転者の氏名、車両番号、労働時間、走行距離、取引先名、品名、数量、重量、乗務の開始・終了の地点、主な経過地点、休憩の地点、時間その他を記録します。日々の記録を運転者によっては面倒に思う方もいらっしゃるかも知れませんが、運行に関する正確な記録を残すことは業務上の必須事項なので、法定事項は守ってもらいましょう。特に積載量のところは要注意です。

◆運行指示書

運転指示書は、２泊３日以上の長距離運行などで対面点呼ができない場合などに、予め作成して運転者に渡す書類です。運行の開始から休憩地点、終了地点までが記載され、運転手はその通りに乗務をします。

急な変更により指示書に書かれていることが変わってしまった場合は、指示に従い運転者が訂正をします。

事業所に1部、運転者が1部持つものになります。

運行に際して注意しなければならない地点等も記載します。また、交替で運転する場合にもその地点を記入します。

営業所にあるはずの指示書がないというケースが結構ありますので、必ず保管してください。

◆乗務員教育記録簿

運送事業者には運転者に対し、指導監督を行うことが義務づけられています。国土交通省の告示に定められた内容を1年間ですべて実施しなければなりません。

内容としては、トラックを運転する上での心構え、トラックの運行の安全を確保するために遵守すべき基本的事項、トラックの構造上の特性、過積載の危険性や正しい積載方法等です。

毎月の講習は大変ですが、2か月に1度、2回分をまとめて行うなど工夫することも可能です。

そのときの記録を残す書類が、「乗務員教育記録簿」になります。そこには、実施年月日、時間、場所、実施者、教育内容、出席者の名前（＋押印）を記載します。使用したテキストなども一緒にファイルをしておくとよいでしょう。

◆初任運転者教育記録

初任者運転者とは、初めてトラックに乗務する運転者のことです。初めてトラックに乗務する前に行うことが義務づけられており、実施項目も決まっています。教育指導の他に、実技指導も一定の時間数が求められています。

その運送会社において、初めてトラックに乗務する前3年間に他の一般貨物自動車運送自動車によって運転者として常時選任されたことがある者については、初任運転者教育は必要ありません。

よって、新卒の社員や、他の業種からの転職、3年間ドライバーとして仕事をしていなかった方は、初任運転者教育を受けることになります。

受講者の氏名、実施年月日、実施者氏名、場所、教育内容などを記載し、記録に残します。

◆高齢運転者教育記録

65歳以上の高齢者に対しては、適性診断及び、高齢者運転教育を行う必要があります。

適性診断は65歳になったら1年以内に受診し、その後3年ごとに受診します。ベテランになると、自身の運転を過信してしまう傾向にありますが、やはりその年齢になったら身体機能の変化に気づいてもらう意味でも必要性を感じます。

◆運行管理規定

運行管理規定とは、安全運転の確立を図ることを目的とし、運行管理者が事業用自動車の運行の安全管理及び事業遂行に必要な運転者及び運転の補助に従事する従業員の指導監督についての職務並びに必要な権限について定めたものです。

トラック協会などにある標準規定をダウンロードし、備えることもできますが、事業所名や日付、運行管理体制などの記載漏れに気をつけましょう。

◆乗務員の適性診断

運送事業者は、事故惹起運転者、初任運転者、高齢運転者に対し、国土交通大臣が認定する適性診断を受けさせなければいけません。

また、運行管理者は、適性診断の結果に基づき、個々の運転者の運転特性を踏まえた適切な指導を行わなければいけません。

ア、初任診断

新たに採用された者が対象。当該貨物自動車運送事業者において、初めてトラックに乗務する前診断の結果を基に、プロドライバーとしての自覚、事故の未然防止のための運転行動等及び安全運転のための留意点等について助言・指導を行う。

イ、適齢診断

65歳以上の者が対象。65歳に達した日以後1年以内、その後3年以内ごとに1回受診する。診断の結果を基に、加齢による身体機能の変化の運転行動への影響を認識してもらい、事故の未然防止のための身体機能の変化に応じた運転行動について助言・指導を行う。

ウ、特定診断Ⅰ

・死亡又は重傷事故を起こし、かつ、当該事故前の1年間に事故を起こしたことがない者。

・軽傷事故を起こし、かつ、当該事故前の３年間に事故を起こしたことがある者が対象。
当該事故を起こした後、再度事業用自動車に乗務する前に受診。

事故を引き起こすに至った状況等について聞き取りを行い、運転経歴等を参考に、交通事故の防止に必要な運転行動等についての助言・指導を行う。

エ、特定診断Ⅱ
死亡または重傷事故を起こし、かつ、当該事故前の1年間に事故を起こした者が対象。

当該事故を起こした後、再度事業用自動車に乗務する前受診者の運転性向の基本要因に係る諸特性を明らかにするとともに、交通事故を引き起こすに至った運転特性及びその背景となった要因などを参考に、交通事故の再発防止に必要な運転行動等について助言・指導を行う。

◆事故記録簿
事故はないに越したことはありませんが、万が一事故が起こったときは、どんな小さな事故でも、記録を保存する必要があります。

自社で作成したものでも構いませんが、トラック協会などのホームページからも書式をダウンロードすることができます。

記載内容は、乗務員の氏名、自動車の登録番号、事故の発生日時、発生場所、当事者（乗務員を除く）の氏名、概要、原因、再発防止策などです。なるべく詳しく記載し、特に再発防止策は、今後の事故防止のためにも原因を追究しましょう。

◆運転記録証明書

「運転記録証明書」とは、過去5年間までの交通違反や事故、運転免許の行政処分の記録等について証明してくれる書類のことです。新規採用時、事業者は雇い入れる前の事故歴を把握しておかなければいけません。

採用面接の際、履歴書と一緒にご持参いただくと良いでしょう。有料になりますが、自動車安全運転センターで取得します。

②車両管理関係

◆車両台帳

所有している車両が一目でわかるように、一覧表にしておきます。

台帳に記載する事項は、自動車登録番号、初度登録年月、型式、車名、車台番号、自動車の種別、最大積載量、車両総重量、自動車車検証の有効期間、NOx・PM法使用車種規制に係る事項、基準緩和車両に係る事項及び配属営業所、自賠責保険に係る事項です。

車検証も一緒にファイルし、運輸支局に登録してある車両台数と相違ないようにします。

◆日常点検表

運転者が乗車前に車両の点検を行いますが、その記録が日常点検表になります。

タイヤ、外周、運転席、エンジン始動などの項目に分かれています。保存期間は1年間です。

◆定期点検整備記録簿

乗用車でも12か月点検や24か月点検の法定点検があるように、運送事業用の車両にも当然点検義務があります。ただし、その期間は普通乗用車とは異なり、「3か月」「6か月」「12か月」「24か月」と頻度は高くなっています。

◆整備管理規定

整備管理規定とは、安全運行を維持するために行うべきトラックの点検・整備の内容や、点検・整備を運転者に確実に行わせる立場にある整備管理者の職務権限についての定めです。

整備管理規定を定めることで、トラック運送事業者が車両の安全の確保や環境の保全をはかることを目的としています。

自社でオリジナルの整備管理規定を定める場合以外は、トラック協会のホームページからダウンロードしたものを使用すれば問題ありません。

③労務管理関係

◆就業規則

従業員が常時10名以上の事業所については、就業規則を定め、労働基準監督署に届け出なければなりません。

従業員トラブルが多く、離職率が高いのも運送業界の1つの特徴となっていますので、トラブルを極力避けるためにも、自社にあった就業規則を作成するべきです。

就業規則は会社内の法律であり、会社を守るものです。

特に運送業では、一般の事務員とドライバーとの勤務時間や勤務形態が違うため、別途の規定が必要となってきます。

さらに服務規程など細やかな規程を作成することをおすすめします。

◆労働者名簿

運転者外の事務員、作業員などの名簿ですが、特に決まりはありません。

◆賃金台帳

賃金台帳とは、従業員の給与の支払状況を記載した書類のことです。

労働基準法第108条によって作成が定められたものであり、運送業に限らず営業所ごと、つまり同じ会社であっても部門や事業内容が異なる場合は、事業ごとに作成・保管しなければなりません。

◆定期健康診断書

事業者は、1年に1回従業員に定期健康診断を受診させる義務があります。運転手だけでなく事務員にも受けさせます。医療機関が作成した診断書のコピーを保管します。

深夜業務（午後10時から翌朝5時まで）が月に平均4日以上ある場合には、6か月ごとに1回有害業務の健康診断を受ける必要があります。

◆三六協定等の労使協定

運送事業者に限らず、使用者が労働者に所定労働時間を超えて労働させる場合及び休日労働させる場合は、営業所ごとに「時間外労働・休日労働に関する労働の協定書（いわゆる三六協定書）を作成し、これに協定届を付して所轄の労働基準監督署に届け出なければなりません。

協定書及び協定届については、各々2部作成し、労働基準監督署に提出します。1部は受理印を押してその場で返付してくれますので、営業所で保管します。

自動車運転者の時間外労働の限度時間は、他の作業員、経理事務員等とは異なり、改善基準（自動車運転者の労働時間等の改善のための基準）に定められた拘束時間の限度枠内となります。基準を守りながら自社にあった限度枠を設定してください。

◆社会保険・労働保険の手続書類

社会保険や労働保険の手続書類や納入通知書等は、紛失しないよう時系列でファイリングしましょう。

2　事業に変更が生じたときにやるべきこと

運送業は、営業所の移転や車両の増減があれば、申請や届出を出さなければなりません。次は、どんなときにそれらが必要なのかを見ていきます。

変更に関しては、「事業計画変更認可申請」「事業計画変更届」「施行規則44条1項の届出」の3種類があります（申請書の様式は同じです）。

①車両の増車、減車、代替

「事業計画変更届出書」又は「事業計画変更認可申請」を増車（減車、代替）する前に提出しなければなりません。

増車等予定日、増車等する営業所名、営業所所在地、増車等理由などを記載します。

増車等によって車庫の必要面積も当然変わってきますが、車庫の総面積を超える場合は認められませんので、ご注意ください。また、新規申請のときと同様、周囲に50㎝以上の距離が確保されていることが条件になります。

運輸局の情報と異なっていると増車、減車はできませんし、窓口の担当者も台数を教えてくれないので、車両の台数は正確に把握しておきましょう。

令和元年11月1日から、営業所に配置する事業用自動車の減車又は増車については、一定の要件に該当する場合は、届出ではなく認可を受ける必要があります。

(一) 最低車両数（5両）を下回る場合（霊柩、一般廃棄物、島しょは除きます）

例①10両↓7両（3両減車）の場合・・・届出

例②10両→3両（7両減車）の場合・・・認可申請　※減車により最低車両数を下回る場合は、原則として認可されません。
例③1両→2両（1両の増車だが最低車両数未満）の場合・・・認可申請
例④4両→5両（1両の増車で最低車両数以上に回復）の場合・・・届出

（二）増車する車両数が、申請日から起算して3か月前時点の車両数の30％以上であり、かつ、11両以上である場合　※増車する車両数とは、今回変更する数と3か月以内に増加した数を合算した数をいいます。

例⑤10両→12両（2両増車）の場合＝20％・・・届出（30％未満）
例⑥10両→15両（5両増車）の場合＝50％・・・届出（30％以上だが10両以下）
例⑦37両→48両（11両増車）の場合＝29％・・・届出（11両だが30％未満）
例⑧36両→47両（11両増車）の場合＝30％・・・認可申請（30％以上かつ11両以上）

（三）増車については、以下に該当する場合

1　申請者と貨物自動車運送事業法第5条第3号に準ずる密接な関係者が貨物運送業の許可取り消し後5年を経過しない者である場合

2　変更に係る営業所の行政処分の累積点数が12点以上である場合

3　変更に係る営業所が、申請日前1年間に、地方貨物自動車運送適正化事業実施機関による巡回指導の総合評価で「E」の評価を受けている場合

（四）その他

その他、貨物自動車運送事業法改正により審査基準等が変更になっています。

②営業所の新設・移転

新たに営業所を設ける場合や、現在の営業所を移転するときに申請します。こちらは、「事業計画変更認可申請」になります。

新規申請のときと同様、用途地域や車庫との距離に注意が必要です。決まった様式の申請書類の他に、事務所の使用承諾書または建物賃貸借契約書の写し、周辺の地図、営業所の見取図、営業所の求積図、宣誓書及び営業所の写真等を添付します。

③営業所の廃止

事業の廃止ではなく、1つの（もしくは複数の）営業所を廃止する場合は、「事業計画変更認可申請」が必要です。

④車庫の新設・移転

新たに車庫を設ける場合や、現在の車庫を移転するときに「事業計画変更認可申請」が必要です。新規申請時と車庫の要件は一緒です。営業所からの距離、前面道路の幅員、土地計画法に抵触していないか等に注意しましょう。面積が変更になったときも申請が必要です。

また、全車両の必要収容面積も新規申請時と同様の考えですので、今後の車両の増減のことも踏まえ計画を立てましょう。

申請書の他に、土地の使用承諾書、土地賃貸借契約書の写し、周辺の地図、土地の見取図、土地の求積図、写真、前面道路の幅員証明（国道の場合は不要）、宣誓書等を添付します。

⑤車庫の廃止

事業の廃止ではなく、１つの（もしくは複数の）車庫を廃止する場合は、「事業計画変更認可申請」が必要です。

⑥その他

「主たる事務所」「利用運送を行うかどうかの別」「利用運送の営業所」「利用運送の業務の範囲」「利用運送の保管施設」「利用する事業者の概要」「事業廃止」「事業休止」「役員変更」「氏名・名称又は住所」「譲渡譲受修了」「合併終了」「事業休止再開」などについても、変更が生じたときは申請ないし届出が必要です。

3　報告書の提出義務

運送事業者は、毎年必ず提出しなければならない報告書が2種類あります。1つは「事業報告書」といって、決算報告のようなもの。もう1つは「事業実績報告書」といって、輸送のトン数や走行距離などを報告するものとなっています。

各々決まった期日までに運輸支局に提出しなければなりません。提出がないと、事業計画の変更ができませんし、巡回指導で指摘を受けますので、忘れないよう注意しましょう。

①事業報告書

運送事業者は、毎事業年度終了後、１００日以内に運輸支局に事業報告書を提出しなければなりません。税理士さんから決算書が上がってきたら、事業報告書を提出すると覚えておくとよいでしょう。

報告書には、資本金の額、発行済株式総額、株主の氏名、発行済株式総数に対する割合、役員の氏名、役職、常勤非常勤の有無、経営している事業、従業員数、一般貨物自動車運送事業の損益明細、人件費明細などを記載します。

この他に損益計算書と貸借対照表、注記表を添付します。この財務諸表は確定申告のときに使った決算書の添付でも可能です。

②事業実績報告書

事業実績報告書では、毎年4月1日から翌年3月31日までの輸送実績を報告します。運送事業者は、毎年7月10日までに、事業実績報告書を運輸支局に提出しなければなりません。

事業実績報告書には、事業用自動車数、従業員数、運転者数、事業内容、輸送実績、事故件数を記載します。

輸送実績については、車両数、従業員数、運転者数、事業内容、管轄運輸支局ごとの延実在車両数（日車）、延実働車両数（日車）、走行キロ数、実車キロ数、輸送トン数（実運送と利用運送ごとに）、営業収入を記載します。事故についても記載箇所があります。

4　事故報告について

事業者として必ずしなければならないこと

運転者が事故を起こしてしまったとき、事業者として必ずしなければいけないことがあります。

運転者はまずは当然ながら、けが人の救護活動や消防・警察に連絡をすることが最優先になります。日頃からドライバー研修などで、救護の仕方や連絡手順などを学んでおくとよいでしょう。

運送事業法的には、運送事業者は事故記録、事故報告書、日報への記載をしなければいけません。しなければいけないことは、事故の大きさや社会的影響によって大きく分けて3つに分かれます。

①事故の記録

どんな事故でも記録を残すことが必要です（3年間の保存義務）。（貨物自動車運送事業輸送安全規則第9条の2）

事故の記録には、次の項目を記載する必要があります。

・乗務員の氏名
・事業用自動車のナンバー
・事故のあった日時
・事故のあった場所
・事故の当事者の氏名
・事故の概要
・事故の原因
・今後の再発防止策

事故の記録は、ただ残せばよいというものではありません。運転者から十分なヒアリングをし、何が原因だったのか、そのときの体調や道路状況などをしっかりと分析し、今後に活かすことが会社にとって最も重要なことです。

②事故の報告

重大な事故を起こした場合、30日以内に運輸支局に提出します。

（貨物自動車運送事業法第24条、自動車事故報告規則第3条で規定）

事故を起こしたからといって、必ずしも運輸支局に報告しなければいけないものではありません。

図表8の区分に該当するときは、自動車事故報告書を3部作成し、事故発生から30日以内に、自動車の使用の本拠の位置を管轄する運輸支局に提出する必要があります。

〔図表8　事故の種類〕

各号	事故の区分	事故の定義
第一号	転覆事故	自動車が転覆（道路上において路面と35度以上傾斜）したもの
	転落事故	自動車が道路外に転落（落差が0・5ｍ以上）したもの

	火災事故	自動車またはその積載物が火災したもの
	鉄道事故	自動車が鉄道車両（軌道車両を含む）と衝突または接触したもの
第二号	衝突事故	10台以上の自動車の衝突または接触を生じたもの
第三号	死傷事故	死者または重傷者（注）を生じたもの
第四号	負傷事故	10人以上の負傷者を生じたもの
第五号	積載物漏洩事故	積載されている危険物、火薬類、高圧ガス等の全部若しくは一部が飛散し、または漏洩したもの
第六号	落下事故	自動車に積載されたコンテナが落下したもの
第八号	法令違反事故	酒気帯び運転、無免許運転、大型自動車等無資格運転、麻薬等運転を伴うもの
第九号	疾病事故	運転者の疾病により、事業用自動車の運転を継続することができなくなったもの

第十号	救護義務違反事故	救護義務違反があったもの
第十一号	運行不能事故	自動車の装置（原動機、動力伝達装置、燃料装置、車輪・車軸、操縦装置など、ほぼ全ての装置が該当する）の故障により、自動車が運行できなくなったもの
第十二号	車輪脱落事故	車輪の脱落、被けん引自動車の分離を生じたもの（故障によるものに限る）
第十三号	鉄道障害事故	橋脚、架線その他の鉄道施設を損傷し、３時間以上本線において鉄道車両の運転を休止させたもの
第十四号	高速道路障害事故	高速自動車国道又は自動車専用道路において、３時間以上自動車の通行を禁止させたもの
第十五号	前各号に揚げるもののほか、自動車事故の発生の防止を図るために国土交通大臣が特に必要と認めて報告を指示したもの	

（※第七号は旅客にかかわる事故のため省略）

右記の他にも、ニュースなどに取り上げられた事故、インターネットに掲載された事故など、世間の関心の高いものは、報告を求められる場合があるようです。不明点な点があれば、運輸支局に相談するとよいでしょう。

（注）重傷者の定義
自賠法施行令第5条第2項
・脊椎の骨折（脊髄に損傷有）
・上腕又は前腕の骨折（合併症有）
・大腿又は下腿の骨折
・内臓の破裂（腹膜炎併発有）
・14日以上病院に入院することを要する障害で、医師の治療（通院）を要する期間が、30日以上のもの

③速報

24時間以内に電話やＦＡＸで連絡を入れます。（自動車事故報告規則第四条）
事故の中でも被害が大きいものや、他への影響が大きいものは、事故報告書の提出のほか電話やＦＡＸ等で24時間以内においてできる限り速やかに運輸支局に連絡を入れなければなりません。
速報が必要なものは、図表9のとおりです。
もし24時間を過ぎてしまったとしても、なるべく早く速報を入れます。第1報は把握している範囲で速やかに報告し、第1報後も追加情報（事故概要、死者重傷者数及び負傷者数、事故車の登録番号など）を速やかに報告する必要があります。

〔図表9　速報が必要な事故〕

死傷事故	イ．2人以上の死者を生じたもの
	ロ．5人以上の（注）重傷者を生じたもの
負傷事故	10人以上の負傷者を生じたもの
積載物漏洩事故	ただし、自動車が転覆し、転落し、火災を起こし、または鉄道車両、自動車その他の物件と衝突し、若しくは接触したことにより生じたものに限る
法令違反事故	ただし、酒気帯び運転があったものに限る

（注）重傷者の定義（自賠法施工令第5条第2項）

・脊椎の骨折（脊髄に損傷有）
・上腕又は前腕の骨折（合併症有）
・大腿又は下腿の骨折
・内臓の破裂（腹膜炎併発有）
・14日以上病院に入院することを要する障害で、医師の治療（通院）を要する期間が30日以上のもの

事故を起こしてしまったら、その後の監査などが怖くて、報告書の提出や速報の連絡をためらってしまうかも知れません。ただ、ルールはルールです。

一番大事なのは原因を突き詰め、今後に活かすことだと思います。会社の姿勢を見せる意味でも、法令遵守を徹底するべきだと考えます。

5 運転者に対する指導及び監督

運送事業者は運転者に適切な指導を実施しなければならない決まりがあります。

次がその実施項目になります。

①トラックを運転する場合の心構え
②トラックの運行の安全を確保するために遵守すべき基本的事項
③トラックの構造上の特性
④貨物の正しい積載方法
⑤過積載の危険性
⑥危険物を運搬する場合に留意すべき事項
⑦適切な運行の経路及び当該経路における道路及び交通の状況
⑧危険の予測及び回避

⑨運転者の運転適性に応じた安全運転
⑩交通事故に関わる運転者の生理的及び心理的要因及びこれらへの対処方法
⑪健康管理の重要性
⑫安全性の向上を図るための装置を備える事業用自動車の適切な運転方法
（詳細は「貨物自動車運送事業者が事業用自動車の運転者に対して行う指導及び監督の指針」に記載されています）

運転者の方を集めて、これらを計画的に実施し、教育記録簿として記録を残します。全員一度に集まらなくても、班に分けて行う方法もありますし、1回にいくつかの項目をやっても構いません。テキストは国土交通省自動車局の「自動車運送事業者が事業用自動車の運転者に対して行う一般的な指導及び監督の実施マニュアル」（概要編、本編）等を利用するとよいでしょう。

記録簿には、実施日、実施場所、実施者、教育内容、参加者（運転者の氏名と印鑑）等を記載し、テキストも一緒にファイルしておきます。

6　巡回指導

一般貨物運送事業者には、２年に一度（実際にはもう少し長いスパンのようです）、トラック協会（適正化事業実施機関）の巡回指導が入ります。

この巡回指導で、事業者がコンプライアンスに基づいて事業を行っているかの評価を行います。評価はAからEの5段階評価で、改善点を指摘され、後日改善内容を報告する義務があります。

この巡回指導を拒否すると、行政処分の対象となります。

チェック項目は次の通りで、38項目あります。

①事業計画等

- 主たる事務所及び営業所の名称、位置に変更はないか。
- 営業所に配置する事業用自動車の種別及び数に変更はないか。
- 自動車車庫の位置及び収容能力に変更はないか。
- 乗務員の休憩・睡眠施設の位置、収容能力は適正か。
- 乗務員の休憩・睡眠施設の保守、管理は適正か。
- 届出事項に変更はないか。（役員・社員、特定事業者に係る運送の需要者の名称変更等）
- 自家用貨物自動車の違法な営業類似行為（白トラの利用等）はないか
- 名義貸し、事業の貸渡し等はないか。

②帳票類の整備、報告等

- 事故記録が適正に記録され、保存されているか。

・自動車事故報告書を提出しているか。
・運転者台帳が適正に記入等され、保存されているか。
・車両台帳が整備され、適正に記入等がされているか。
・事業報告書及び事業実績報告書を提出しているか。（本社巡回に限る）

③運行管理等

・運行管理規定が定められているか。
・運行管理者が選任され、届出されているか。
・運行管理者に所定の講習を受けさせているか。
・事業計画に従い、必要な運転者を確保しているか。
・過労防止を配慮した勤務時間、乗務時間を定め、これを基に乗務割が作成され、休憩時間、睡眠のための時間が適正に管理されているか。
・過積載による運送を行っていないか。
・点呼の実施及びその記録、保存は適正か。
・乗務等の記録（運転日報）の作成・保存は適正か。
・運行記録計による記録及びその保存・活用は適正か。
・運行指示書の作成、指示、携行、保存は適正か。

・乗務員に対する輸送の安全確保に必要な指導監督を行っているか。
・特定の運転者に対して特別な指導を行っているか。
・特定の運転者に対して適性診断を受けさせているか。

④車両管理等

・整備管理規程が定められているか。
・整備管理者が選任され、届出されているか。
・整備管理者に所定の研修を受けさせているか。
・日常点検基準を作成し、これに基づき点検を適正に行っているか。
・定期点検基準を作成し、これに基づき、適正に点検・整備を行い、点検整備記録簿等が保存されているか。

⑤労基法等

・就業規則が制定され、届出されているか。
・三六協定が締結され、届出されているか。
・労働時間、休日労働について違法性はないか。（運転時間を除く）
・所要の健康診断を実施し、その記録・保存が適正にされているか。

⑥法定福利費

・労災保険・雇用保険に加入しているか。

・健康保険・厚生年金保険に加入しているか。

⑦輸安全マネジメント

・運輸安全マネジメントの実施は適正か。

7　監査について

①監査の対象となるケース

ア、法令違反の疑いがあるとき

事業者に不満を持って会社を辞めた従業員や、ライバルの運送会社からの通報によって監査が実施されることもあります。

イ、運転者が死亡事故を起こしたとき。

輸送の安全を確保できなかった原因などを調査する目的です。昨今貸し切りバスの事故のニュースで、運送会社に監査が入る様子が、報道されていますので、イメージしやすいと思います。

ウ、運転者が悪質な違反をしたとき。

酒酔い運転、酒気帯び運転、過労運転、薬物等使用運転、無免許運転、無資格運転、無車検運行、無保険運行、救護義務違反が挙げられます。

エ、巡回指導を拒否したとき

適正化事業実施機関が行う巡回指導を拒否したとき。

オ、行政処分後に改善報告をしなかったとき

報告をする出頭の拒否、改善報告をしない、改善されたと認められない場合です。

カ、事故報告書を提出しなかったとき

所定の期限までに報告書を提出しない、報告書に虚偽の内容を記載した疑い、報告書等に記載された内容に法令違反の疑いがある場合などです。

キ、福利厚生が整っていなかったとき

健康保険、労働保険、雇用保険、厚生年金に加入していなかった場合や、最低賃金を下回っていたことなども挙げられます。

ク、事故報告書で、「事故の原因」および「事故の種類の区分」が同一であるものを3年間に3回以上引き起こしたとき

ケ、その他

基本的な安全管理体制の不備や、事件、苦情などから監査が必要と認められる場合など。

監査はいつ、どの事業所に来てもおかしくありません。日頃からしっかりとやるべきことをやる

ことが大切なのがわかります。

②監査の種類

監査の種類は左記のとおり、３種類あります。

ア、特別監査

重大事故を起こした場合、法令違反の疑いがあり厳格な対応が必要を認められる場合の監査。

イ、一般監査

特別監査に該当しないもの。重点事項を定めて、法令遵守状況を確認する監査。

ウ、街頭監査

街頭において、事業者を特定しないで実施する監査。

③監査の重点事項

ア、事業計画の遵守状況

イ、運賃・料金の収受状況

ウ、損害賠償責任保険（共済）の加入状況

エ、自家用自動車の利用、名義貸し行為の有無

オ、社会保険等の加入状況

カ、賃金の支払状況
キ、運行管理の実施状況
ク、整備管理の実施状況

④監査と巡回の違い

よく巡回指導のことを「監査が入る」という言い方をしている方がいらっしゃいます。役所の職員が営業所に来て、諸々チェックをし、処分を検討していくというイメージをお持ちの方が多いのかも知れません。

しかしながら、巡回指導と行政監査は異なります。

簡単に言えば、監査は運輸支局の職員が無通告で営業所に来所し、監査結果によっては行政処分となります。

巡回指導は、トラック協会の職員（適正化事業実施機関）が予め巡回の日を通知してくれ営業所に来所し改善点を「指導」してくれます。

ただ、巡回指導のときに、

- 点呼を全く行っていない、
- 運行管理者もしくは整備管理者がいない、
- 定期点検を全く行っていない、

など、会社の管理が杜撰だと、適正化事業実施機関から運輸支局に「通報」されて監査対象となります。

8　運輸安全マネジメントについて

輸送の安全性の向上に努める

平成18年10月から貨物自動車運送事業法の一部を改正する法律が施行され、トラック事業者の経営トップから現場の運転者まで一丸となって安全性の向上を図り、企業全体に安全意識を浸透させる「運輸安全マネジメント」が導入されています。

すべての事業者が「運輸安全マネジメント」を実施し、輸送の安全性の向上に努めなければなりません。

実際にはどんなことをやればよいのでしょう。

毎年度等、具体的な取り組みを定めたら表に記載して、社内や営業所などに掲示し従業員や運転者に徹底周知させます。ホームページのある会社は、公開するという方法もあります。

次の様式に従って、自社にふさわしい内容を記載します。

A、毎年度等、次の具体的な取り組み方策を定めたら、社内及び営業所内へ掲示するとともに、反省事項や改善方法については、後日、改善措置等必要な方策を立てたときに掲示し直します。

・我が社の事故防止のための安全方針

例　輸送の安全はわが社の根幹。

・社内への周知方法

例　安全方針を従業員に配布するとともに、社内及び営業所等に掲示する。

・安全方針に基づく目標

例　令和〇〇年度の目標　人身事故ゼロを貫徹しよう！

・目標達成のための計画

例　令和〇〇年度の安全計画

・外部の安全運転講習を計画する。

・デジタルタコグラフを計画的に導入する。

・わが社における安全に関する情報交換方法

例　定期的に輸送の安全に関する意見交換会を運転者等と開催する。

・わが社の安全に関する反省事項

例　令和〇〇年度のチェックは〇月を予定。問題点等は後日社内及び営業所に掲示する。

・反省事項に対する改善方法

例　令和〇〇年度のチェックにより把握した問題点の改善方法を、後日社内及び営業所に掲示する。

B、毎年度、次の取り組み状況を把握して社内及び営業所へ掲示します。なお、安全方針、安全目標、安全目標達成状況、自動車事故報告規則で定める事故に関する統計は公表しなければなりません。

・わが社の安全に関する目標達成状況

例　令和○○年度

目標	結果	目標達成状況
人身事故○件	人身事故　○件	目標達成
酒気帯び運転・速度超過撲滅	速度超過違反　1件	目標未達成

・わが社の事故に関する情報

例　令和○○年度

重大事故発生件数	○件

〔図表 10　運輸安全マネジメントの公表例〕

令和○○年○月○日　から　令和○○年○月○日

令和○○年度・当社の輸送の安全に係る事項を
下記のとおり公表します

会社名　　○○運輸株式会社
営業所名　本社営業所

1．輸送の安全に関する基本的な方針
・安全運行はすべての業務に優先する
・交通ルールを遵守し無事故・無違反

2．輸送の安全に関する目標及びその達成状況

目標

事故形態	抑止目標
人身事故	○件以下　%削減
物損事故	○件以下　%削減

●安全方針に基づく目標

・人身事故ゼロ

・交通違反ゼロ

前年度達成状況

事故形態	抑止目標	結果	達成状況
人身事故	○件以下　%削減	○件以下　%削減	達成・未達成
物損事故	○件以下　%削減	○件以下　%削減	達成・未達成

3．自動車事故報告規制に規定する事故の統計

前年度の重大事故発生件数	○件
事故の種類	○件
衝突の状態	○件

貨物自動車運送事業法第 24 条の 3 による輸送の安全にかかわる情報の公表

第6章

より良い
運送会社に
育てていくために

1　ホームページをつくろう

ホームページで情報収集は当たり前の時代

今はホームページを見て情報収集するのが、当たり前の時代。企業のホームページの重要度は益々高まっており、企業間取引の場合、相手は必ずと言ってよいほど、会社のホームページを探します。しかしながら、運送会社にあっては、自社のホームページを持っていない会社が多く見受けられます。

ホームページはいろいろな役割を果たしてくれます。会社の商品やサービスを24時間、営業マンを使わずに持続的に宣伝してくれますし、お問い合わせホームをつくっておけば、常に連絡が取れる状態にできます。

電話番号、所在地、地図などの必要情報に加えて、社長の想いや社員ブログで社内情報を公開することも可能です。

サイト内で求人広告を出し、大手求人サイトにリンクも張れるので、ドライバーの募集にも役立ちます。

現在は求職活動もインターネットでする時代ですので、会社のホームページがないだけで、応募者は不安に思われてしまいます。

業界のことを知っている制作会社を選ぶ

気をつけなければいけないのが、「とりあえずホームページを持てばよい」という考えで、「格安」の制作会社に飛びついてしまうこと。そうすると、「ただつくっただけのもの」になりかねません。制作費用が格安でも、あとから運営費など高額請求してくる会社もあるので注意が必要です。大事なのは格好良いデザインではなく、売上を伸ばしてくれるサイトです。制作だけではなく運用についてもサポートしてくれる制作会社を選びましょう。

運送会社のことを全く知らない制作会社より、既にその業界のホームページをつくった実績のある会社なら、より特化したサイトをつくってくれるはずです。

2　Ｇマークを取得しよう

①Ｇマークとは

Ｇマークとは、荷主や利用者がより安全性の高いトラック事業者を選びやすくするため、安全性に関する38項目を評価し、優良な事業所を認定する制度です

全国貨物自動車運送適正化事業実施機関である全日本トラック協会は、トラック運送事業者の交通安全対策などへの事業所単位での取り組みを評価し、一定の基準をクリアした事業所を認定する貨物自動車運送事業安全性評価事業を実施しています。

〔図表11　Gマークのステッカー〕

この安全性評価事業は、利用者がより安全性の高い事業者を選びやすくするとともに、事業者全体の安全性の向上に対する意識を高めるための環境整備を図るため、事業者の安全性を正当に評価し、認定し、公表する制度です。

令和6年12月末現在、Gマークを取得している事業所は、全事業所数の33・9％になります。この数字は、年々増加しています。

認定を受けた事業所は、認定証が授与されるとともに、認定マーク及び認定ステッカーで「安全性優良事業所」であることを荷主企業や一般消費者にアピールすることができます。

トラックの後方に付いているこちらのマークです。

要は、運送の安全確保に積極的に取り組んでいる事業所の証のようなものです。

インセンティブ付与も大きな魅力です。

〔図表12　Gマーク認定事業所の事故割合は未取得事業所と比べて半分以下〕

Gマーク認定事業所の事故割合は未取得事業所と比べて半分以下

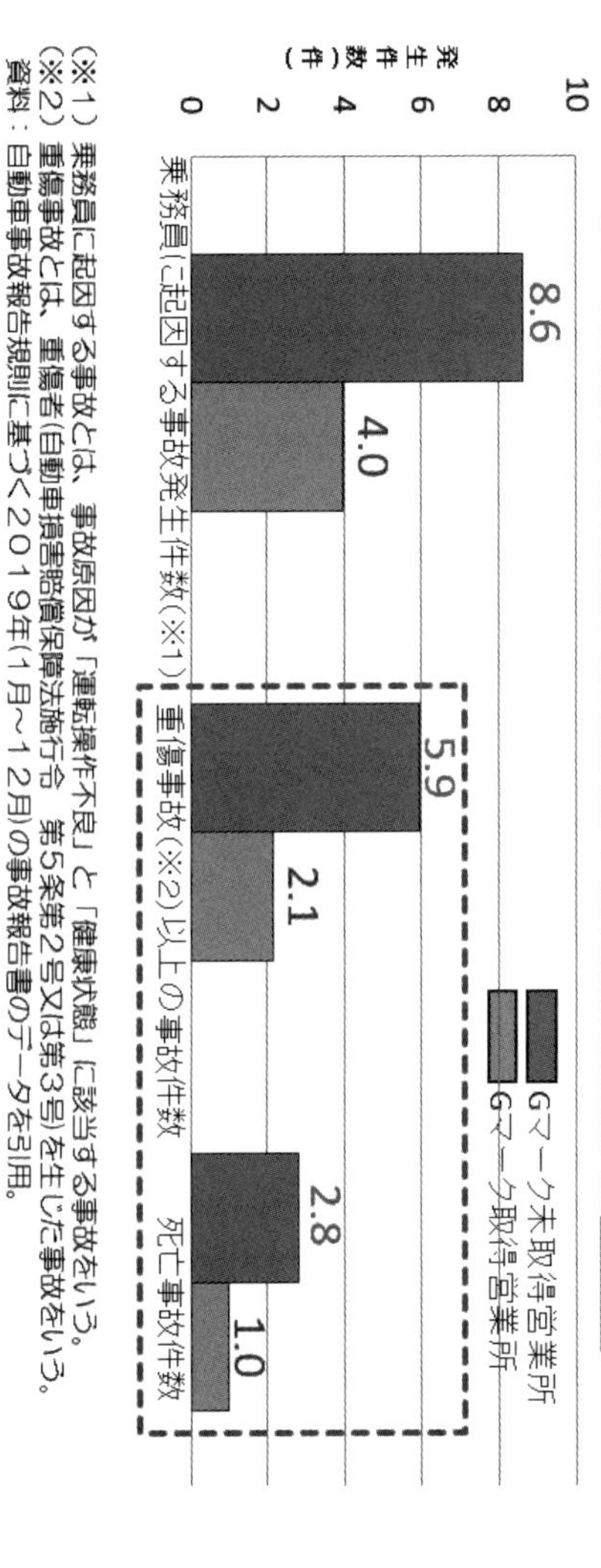

国土交通省のホームページより

②Gマークで事故が減る？

国土交通省の令和2年12月付プレスリリースによりますと、２０１９年の事業用トラック1万台あたりの事故件数のとりまとめの結果、Ｇマーク認定取得トラックの事故件数は、認定を取得していないトラックと比較して、半数以下となっていることがわかります。

プレスリリースには、「安心・安全なＧマークの安全性優良事業所をご利用下さい」とまで記載されています。それだけ国土交通省も力を入れている制度なのです。

営業所全体が一丸となって安全性に対する取組みを積極的に行うことが、事故軽減に繋がっていくのだと思います。

③Gマーク取得のメリット

Ｇマークを取得することにより、国や全日本トラック協会から左記の優遇を受けることができます。

ア、違反点数の消去

通常、違反点数は3年間で消去されますが、違反点数付与後2年間違反点数の付与がない場合、当該違反点数を消去できます。

イ、ＩＴ点呼の導入

対面点呼に代えて、国土交通大臣が定める設置型または携帯型のカメラを有する機器による営業所間等での点呼が可能になります。

ウ、点呼の優遇
２地点を定時で運行する形態の場合の他営業所における点呼、同一敷地内に所在するグループ企業間における点呼が承認されます。

エ、補助条件の緩和
ＣＮＧトラック等に対する補助について、新車のみの導入については、最低台数要件が３台から１台に緩和されます。

オ、安全性優良事業所表彰
安全性優良事業所のうち、連続して10年以上取得しているなど、さらに一定の高いレベルにある事業所が表彰されます。

カ、助成の優遇
都道府県トラック協会の会員事業者に対する助成事業について、予算の範囲内で次の優遇措置が受けられます。

・ドライバー等安全教育訓練促進助成制度（特別研修への受講料助成金の増額　通常７割が全額助成）

・安全装置等導入促進助成事業（ＩＴ機器を活用した遠隔地で行う点呼に使用する携帯型アルコール検知器への１台１万円の助成）

・経営診断受診促進助成事業（経営診断助成金の増額　通常8万円が10万円、経営改善相談助成金の増額　通常2万円が3万円）

キ、保険料の割引
損害保険会社の一部企業では、運送保険等において独自の保険料割引を適用しています。

④**Gマーク申請資格要件**

ア、事業開始後（運輸開始後）3年を経過していること
イ、配置する事業用自動車が5両以上であること
ウ、虚偽の申請や不正な手段等による申請の却下または評価の取り消し後、2事業年度を経過していること
エ、不正申請等により認定の取り消しを受けた場合、取り消し後2年を経過していること
オ、認定後、認定証等の偽造使用などにより是正勧告を受けた事業所は、是正後3年を経過していること

⑤**認定要件**

①次の評価項目において、基準点数を満たすこと

Ⅰ．安全性に対する法令の遵守状況
Ⅱ．事故や違反の状況
Ⅲ．安全性に対する取組みの積極性
②貨物自動車運送事業法に基づく認可申請、届出、報告事項が適正に為されていること。
③社会保険（健康保険・厚生年金保険）、労働保険への加入が適正に為されていること（適用事業所になっているだけではなく、加入しなければならない労働条件の従業員全員が加入していること）。

⑥評価項目

◆安全性に対する法令の遵守状況（配点40点・基準点数32点
ア、地方実施機関による巡回指導の結果（24項目　37点）
申請の時点で一定の期間巡回指導を受けていない事業所は、申請後に巡回指導が入ります。

そこでチェックされるのが次の項目です。
・事業計画等
・帳票類の整備、報告等
・運行管理等
・車両管理等

・労基法等

配点は項目によって異なります。

イ、運輸安全マネジメントに対する取組状況（3点）

◆事故や違反の状況（配点40点・基準点数21点）

ア、事故の実績

イ、違反（行政処分）の実績

◆安全性に対する取組みの積極性（配点20点・基準点数12点）

ア、自社内独自の無事故運転者表彰制度など。

イ、事業所内で安全対策会議を定期的に実施している。

ウ、荷主企業、協力会社または下請会社との安全対策会議を定期的に実施している。

エ、自社内独自の運転者研修等を実施している。

オ、外部の研修機関・研修会へ運転者等を派遣している。

カ、特定の運転者以外にも適性診断（一般診断）を計画的に受診させている。

キ、安全運行につながる省エネ運転を実施し、その結果に基づき、個別の指導教育を実施している。

ク、定期的に「運転記録証明書」を取寄せ、事故、違反実態を把握して個別指導に活用している。

ケ、車両の安全性と向上させる装置の装着。

コ、過去3年間以内に行政、外部機関、トラック協会から、輸送の安全に関する表彰を受けたことがある。

サ、その他輸送の安全に関する自主的、積極的、独創的、先進的または高度な取組を実施している、など。

◆認定要件

ア、評価項目（１００点満点）の評価点数の合計点が80点以上であること。

イ、各評価項目において、左記の基準点数を満たしていること。

・安全性に対する法令の遵守状況　32点（40点満点）

・事故や違反の状況　21点（40点満点）

・安全性に対する取組みの積極性　12点（20点満点）

ウ、法に基づく許可申請、届出、報告事項が適正になされていること。

エ、社会保険等への加入が適正になされていること。

⑦申請受付期間

毎年7月上旬の2週間。

年に一度の申請ですので、余裕をもって準備をしましょう。

⑧申請先

営業所が所在する都道府県の地方実施期間（都道府県トラック協会）の受付窓口に提出します。

⑨申請料

・Ｗｅｂ申請書作成システムで作成した申請書による申請は無料です。

・複写式申請書による申請は、申請書代実費が税込1，０００円かかります。

⑩評価結果

各事業所に対して、12月中旬頃に郵送で通知されます。評価結果の通知日は、11月下旬頃に全日本トラック協会ホームページで発表があります。

⑪Gマークは1日にしてならず

Ｇマークはすぐに準備をして取れるものではありません。法に則って社内環境の整備が為されているか、輸送の安全について一丸となって取り組んでいるかなど、総合的に判断されます。

Ｇマークを取得している事業者は、厳しい評価基準を満たした安全な優良事業所として、他の同業者との差別化を図ることができるはずです。荷主の間でも広く認知が進み、Ｇマークを取得するかしないかで、信用面でも大きく差が出てきているようです。

また、従業員、ドライバーの意識の向上や定着率、事故減少にも影響を与えるものになっているようです。Ｇマークは一度取って終わりではありません。有効期間がありますので、更新し続けるためにも日々の努力と意識が大事になります。

3　グリーン経営認証について

グリーン経営認証とは、「公益財団法人　交通エコロジー・モビリティ財団」が認証機関となり、「環境にやさしい取組みをしている運輸事業者」を認証する制度のことです。

こちら、国土交通省も推進しており、トラック・バス・タクシー・倉庫・港湾運送・内航海運・旅客船の各事業毎に認証します。

①グリーン経営取組みによるメリット

ア、燃費の向上

認証取得事業者の平均燃費について、新規申請時と認証取得2年後の更新審査時を比較すると、車両総重量8トン以上のトラックの場合、3・4％、8トン未満の場合3・3％燃費が向上しているとのこと。

イ、交通事故・車両故障件数削減

削減の背景として、グリーン経営の取組みを通じて「エコドライブの徹底」「ドライバーの意識の変化」「スピード管理」「安全教育の実施」などに変化があったことが考えられるとのこと。

ウ、認証取得事業者へのアンケート結果

メリットがあると回答した事業者の割合が多いものとして、

・燃費の向上
・職場モラルの向上・従業員の士気向上
・車両故障件数の減少
・交通事故件数の減少
・お客様からの評価向上・または取引上の優遇
・リーダー層の人材育成
・廃梱包材料の減少
・社外からの苦情件数の減少
・外部からの表彰

などが挙げられます。

②国土交通省の推奨

グリーン経営は、運輸部門における実効性のある環境対策として、国土交通省も推進しています。

国土交通省では、平成26年3月に「環境行動計画」を策定し、グリーン経営認証制度を拡大することとしています。

国土交通省のＨＰにも詳細が記載されています。

③自治体などの助成金

事業活動から生じる環境負荷を削減し、環境に配慮した事業者に対し、認証取得を支援する自治体が増えています。環境に配慮した経営の促進を図り、事業活動から生じる環境負荷の削減に取り組み、グリーン経営認証を新規に取得した事業者を対象に、審査及び認証・登録に要した費用を助成してくれるそうです。

トラック協会の会員も助成が受けられるとのことなので、チャレンジしてみてはいかがでしょうか？　ちなみに、埼玉県トラック協会では、新規登録で５０，０００円、更新登録で３０，０００円の助成金が出るそうです。

各自治体によっても要件などが異なるようですので、役所のホームページなどでご確認ください。

④評価項目について（トラック）

ア、環境保全のための仕組み・体制の整備
イ、エコドライブの実施
ウ、低公害車の導入
エ、自動車の点検・整備
オ、廃棄物の適正処理及びリサイクルの推進
カ、管理部門（事務所）における環境保全の推進

⑤受付期間

随時

⑥認証料金（平成30年4月現在）

◆審査料金

ア、審査料85，000円×現地審査事業所数13，000円×現地審査対象外事業所数

現地審査、書類審査、審査報告書作成等。ただし、バス事業以外で事業所間が近接（移動時間30分以内）し、1日で2か所以上の事業所を現地審査可能な場合は、2か所目以降は35，000円。更新審査料は、申請1件当たり2，000円減額・

イ、交通費　実費（上限30，000円　一往復）

ウ、宿泊料　1泊12，000円（複数の事業所を審査するため宿泊が必要な場合など）

◆登録料金等

ア、登録証発行料（新規登録時のみ）5，000円×事業所数

イ、更新までの間の書類審査料15，000円＋（3，000円×2か所目以降の事業所数）（2年ごとの更新の間の1年は書類審査を行う）

ウ、登録維持料20，000円＋（4，000円×2か所目以降の事業所数）

エ、指導・情報提供料等30，000円＋（6，000円×2か所目以降の事業所数）

なお、更新登録料は、申請1件当たり2，000円減額。

認証料金については、将来において適時適切に見直しを行う。

4　全国運輸局一覧

北海道運輸局管内

北海道運輸局　011（290）2711
札幌運輸支局　011（731）7167
函館運輸支局　0138（49）8863
室蘭運輸支局　0143（44）4026
帯広運輸支局　0155（33）3281
釧路運輸支局　0154（51）2521
北見運輸支局　0157（24）7581
旭川運輸支局　0166（51）5271

東北運輸局管内

東北運輸局　022（299）8851
宮城運輸支局　022（235）2511

福島運輸支局　0245（46）0341
岩手運輸支局　019（637）2911
青森運輸支局　017（739）1501
山形運輸支局　023（686）4711
秋田運輸支局　018（863）5811

北陸運輸局管内

北陸信越運輸局　025（244）6111
新潟運輸支局　025（285）3123
長野運輸支局　026（243）4384
石川運輸支局　076（291）0531
富山運輸支局　076（423）6618

関東運輸局管内

関東運輸局　045（211）7204
東京運輸支局　03（3458）9232
神奈川運輸支局　045（939）6800

埼玉運輸支局　048（624）1835
群馬運輸支局　027（263）4440
千葉運輸支局　043（242）7337
茨城運輸支局　029（247）5118
栃木運輸支局　028（658）7012
山梨運輸支局　055（261）0880

中部運輸局管内

中部運輸局　052（952）8041
愛知運輸支局　052（351）5311
静岡運輸支局　054（261）1192
岐阜運輸支局　058（279）3716
三重運輸支局　059（234）8411
福井運輸支局　0776（34）1600

近畿運輸局管内

近畿運輸局　066（6949）6451

大阪運輸支局　072（821）9176
京都運輸支局　075（681）1427
滋賀運輸支局　077（585）7251
奈良運輸支局　0742（61）6435
和歌山運輸支局　073（422）2154

中部運輸局管内

中部運輸局　082（228）3434
広島運輸支局　082（233）9166
鳥取運輸支局　0857（22）4119
島根運輸支局　0852（37）1319
岡山運輸支局　086（273）2296
山口運輸支局　083（922）5335

四国運輸局管内

四国運輸局　087（831）7271
香川運輸支局　087（882）1356

徳島運輸支局　088（641）4811
愛媛運輸支局　089（956）1562
高知運輸支局　088（832）1175

九州運輸局管内

九州運輸局　092（472）2312
福岡運輸支局　092（673）1190
佐賀運輸支局　0952（30）7271
長崎運輸支局　095（822）0010
熊本運輸支局　096（369）3189
大分運輸支局　0975（58）2117
宮崎運輸支局　0985（51）3824
鹿児島運輸支局　099（222）5660

沖縄総合事務局管内

沖縄総合事務局　運輸部　098（866）0031
沖縄総合事務局　運輸事務所　098（877）5140

宮古支所　０９８０７（２）４９９０
八重山支所　０９８０８（２）４７７２

5　トラック協会について

各都道府県にはトラック協会があり、その中央団体が公益社団法人全日本トラック協会です。運送会社が必ず入会しなければならないものではありませんが、入会すると様々なメリットがあるようです。

例えば、車両代替・物流施設等の設備における融資に対する利子補給、経営、合理化、活性化のための経営診断、各種法規講習会並びにセミナーの開催や安全コンクールの実施、その他。

他にも無事故・無違反証明書や運転適性診断（一般・初任・適齢）費用、運行管理者や整備管理者の研修会等に対する受講料、運行管理者講習や整備管理者講習費用、大型車夜間追突防止反射テープ、フォークリフト運転技能講習に対する受講料、低公害車導入費用の一部、安全装置等導入費用の一部、アイドリングストップ支援機器等の導入費用など各種助成金制度も充実しています。

ただ、入会金や会費などが発生するので、管轄のトラック協会に直接問い合わせ、詳細を聞いてから入会を検討することをおすすめします。

全国トラック協会　０３（３３５４）１００９

第7章

車両1台でも、車両なしでも始められる運送関係事業

（貨物軽自動車運送事業・レンタカー事業・貨物利用運送事業）

この章では、車両1台で始められる、また車両を持たずに始められる運送関係の事業についてご説明します。

1 貨物軽自動車運送事業

貨物軽自動車運送事業とは、軽トラックやバイクを利用して、荷主の荷物を運送する事業のことです。ネット通販などの宅配事業の成長で、軽自動車を使った運送事業が大きな飛躍を遂げていることは、皆様もご想像できることと思います。

大型トラックが5台以上必要な一般貨物運送事業は「許可」が必要になりますが、貨物軽自動車運送事業は、軽自動車1台から始められる「届出」になります。

一般貨物のように、トラックの準備費用や車庫、営業所などの施設費用もかからず、初期費用が安く済むのも貨物軽自動車運送事業の特徴です。

次に、届出に必要な要件などを見ていきましょう。

①開始に必要な要件

◆車両について

軽貨物車1台以上。

◆自動車の構造について

乗車定員は原則として2名以下。最大積載量、構造等が貨物軽自動車運送事業に使用する車両として不適切でないこと（軽貨物車ではない乗用タイプの軽自動車の場合は、原則、軽貨物車へ構造を変更する必要があります）。

◆車庫

ア、営業所に併設されていること。併設できない場合は、営業所からの距離が2㎞以内であること。
イ、運送事業に使用する軽貨物車すべてを駐車できること。
ウ、使用権限を有すること。
エ、農地法や建築基準法等の都市計画法等関係法令に抵触しないこと。
オ、軽貨物自動車の駐車場所が、他の用途に使用される場所と明確に区分されていること。

◆休憩・睡眠施設

特に面積などの要件はなく、乗務員が有効に利用することができる適切な施設であること（自宅でも可能です）。

◆運行管理体制

運送事業の適切な運営を確保するために運行管理等の管理体制を整えているものであること（運行管理者資格は不要です）。

◆運送約款

ア、荷主の正当な利益を害するおそれがないものであること。
イ、運賃・料金の収受、貨物運送事業者の責任に関する事項等が明確に定められているものであること。
ウ、旅客運送を行うことを想定したものでないこと。
オ、国土交通大臣が定めた標準約款を使用する場合は、約款の添付は不要。

◆損害賠償能力

十分な損害賠償能力を有するものであること（賠償額の具体的な金額の規定はなし）。

②届出に必要な書類

◆届出書

貨物軽自動車運送事業経営届出書（図表13）には、次を記載します。

ア、氏名または名称及び住所ならびに法人の場合はその代表者の氏名。
イ、事業の開始の予定日。
ウ、次に掲げる事項を記載した事業計画。
・主たる事務所の名称及び位置。
・営業所の名称及び位置。
・各営業所に配置する事業用自動車の種別、及び事業用自動車の種別ごとの数。

〔図表 13　貨物軽自動車運送事業経営届出書〕

別添1

届出日　令和　年　月　日

運輸局　運輸支局長　殿

貨物軽自動車運送事業経営届出書

今般、貨物軽自動車運送事業を経営したいので、貨物自動車運送事業法第36条及び同法施行規則第33条の規定により、関係書類を添えて届出いたします。

氏名又は名称並びに代表者の氏名及び住所(主たる事務所)	開始予定日	令和　年　月　日
ふりがな		
氏名又は名称(主たる事務所の名称)	（通称名：　）	
代表者氏名		
住　所(主たる事務所の位置)		
電話番号		

事業計画の内容（住所と同じ場合は、□欄にチェックを入れる）

営業所の名称及び位置

営業所名	位置
	□住所に同じ

事業用自動車の種別ごとの数

	車両数	乗車定員		車両数	乗車定員		車両数	乗車定員
軽(普通)	両	名	軽(霊柩)	両	名	二輪	両	名

自動車車庫の位置及び収容能力

位置	営業所からの距離	収容能力
□住所に同じ	m	㎡

乗務員の休憩又は睡眠のための施設の位置及び収容能力

位置	収容能力
□住所に同じ	㎡

運送約款（該当する□欄にチェックを入れる）

□ 標準貨物軽自動車運送約款（平成15年国土交通省告示第171号）

□ 標準貨物軽自動車引越運送約款（平成15年国土交通省告示第172号）

□ その他運送約款

運行管理体制を記載した書面

所属営業所名	運行管理の責任者氏名

運輸局　支局長　殿

宣誓書

□ 届出にかかる自動車車庫については、私に使用権原があることを宣誓します。

□ 届出にかかる自動車車庫の土地・建物は、都市計画法等の関係法令に抵触しないことを宣誓します。

□ 貨物の運送に関し支払うことのある損害賠償の支払い能力を有することを宣誓します。

令和　年　月　日

住所

氏名
(名称)

・自動車車庫の位置及び収容能力。
・乗務員の休息または睡眠のための施設の位置及び収容能力。

◆運賃料金設定届出書

運賃料金設定届出書（図表14）には、次を記載します。

ア、氏名または名称及び住所並びに法人にあっては、その代表者の氏名。
イ、事業の種別（貨物軽自動車運送事業）。
ウ、設定した運賃及び料金を適用する地域。
エ、設定した運賃及び料金の種類、額及び適用方法。
オ、実施年月日。

◆運賃料金表（図表15）

自由に設定することができます。

◆車検証のコピー

使用予定車の車検証の写し。新車の場合は、車台番号がわかるもの。

◆事業用自動車連絡書

③届出先

所轄の運輸支局に提出します。

〔図表14　運賃料金設定（変更）届出書〕

令和　年　月　日

運輸局　　運輸支局長　　殿

住　　所
氏名又は名称
代 表 者 名
電 話 番 号

運賃料金設定（変更）届出書

貨物自動車運送事業報告規則第２条の２の規定に基づき、運賃及び料金を設定（変更）したので、下記のとおり提出します。

記

１．氏名又は名称及び住所並びに代表者氏名
　氏名又は名称
　住　　所
　代 表 者 名

２．事業の種別
　貨物軽自動車運送事業

３．設定した運賃及び料金を適用する地域
　全国 運輸局管内 運輸支局管内

４．設定した運賃及び料金の種類、額及び適用方法
　別添のとおり

５．実施年月日
　令和　年　月　日より実施

〔図表 15　貨物軽自動車運動事業運賃料金表〕

＜貨物軽自動車運送事業運賃料金表＞

1. 距離制運賃表

10kmまで	円
20kmまで	円
30kmまで	円
40kmまで	円
50kmまで	円
以後5kmまでを増すごとに	円 加算

2. 時間制運賃表

基礎額	4時間又は40kmまで	円
	8時間又は80kmまで	円
加算額	10kmまでを増すごとに	円 加算
	1時間までを増すごとに	円 加算

3. 諸料金

(1) 積込料及び取卸料　　分までごとに、　　円

待機料　　分を超える場合においては

分までごとに　　円

(2) 地区割増料　　A地区（東京都特別区及び大阪市）　　円

B地区（上記を除く政令指定都市）　　円

4. 運賃割増率

(1) 品目割増

項　目	内　容	割増率
易損品	電子計算機等の精密機器とその部品、みこし、仏壇、神仏像、ピアノ類	割以上の臨時の約束による
危険品	高圧ガス取締法、消防法及び毒物劇物取締法に定める品目	割以上の臨時の約束による
	火薬類取締法に定める品目、放射性物質及びこれに類するもの	割以上の臨時の約束による
特殊物件	引越荷物、生きた動物、鮮魚介類	割
汚わい品	塵芥等の廃棄物、し尿等	割
貴重品・高価品	貨物運送約款第9条第1項に掲げる貨物	割以上の臨時の約束による

(2) 特大品割増

1個の長さが荷台の長さにその長さの1割を加えたもの、重量100kg又は容積1㎥以上のもの	割以上の臨時の約束による

(3) 冬期割増

地　域	期 間	割増率
北海道	自 11月16日 至 4月15日	割
青森県・秋田県・山形県・新潟県・長野県・富山県・石川県・福井県・鳥取県・島根県の全県	自 12月1日 至 3月31日	
岩手県のうち北上市・久慈市・遠野市・二戸市・八幡平市・滝沢市・九戸郡・二戸郡・上閉伊郡・下閉伊郡・岩手郡・和賀郡		
福島県のうち会津若松市・喜多方市・南会津郡・耶麻郡・大沼郡・河沼郡		
岐阜県のうち高山市・飛騨市・下呂市・郡上市・大野郡		

(4) 休日割増

日曜祝祭日に運送した距離に限る	割

(5) 深夜・早朝割増

午後10時から午前5時までに運送した距離	割

5. 消費税及び地方消費税の加算（免税対象となる取引は除く。）

運賃料金総額 × 消費税法等に基づく税率

6. 運賃料金適用方法

(1) 運賃料金は、使用車両1車1回の運送ごとに計算します。
(2) 運賃は、運賃表に掲げてある金額（以下「基準運賃」という。）の上下それぞれ　%の範囲内で計算します。
(3) 割増率・割引率が適用される場合は、基準運賃にそれぞれの率を乗じた金額を基準運賃に加減した上で、上下それぞれ　%の範囲内で計算します。
(4) 運賃料金を計算する場合において生じた端数は、100円単位に切り上げるものとします。
(5) 運送距離は、1車1回の運送ごとの実車キロ程によるものとし、経路が2途以上ある時は、その最短となる経路のキロ程により計算します。
(6) 2種類以上の割増率又は割引率が重複する場合は、それぞれの率をあらかじめ加減した上で計算します。
(7) 3ヶ月以上にわたる文書による運送契約については、基準運賃に対して　%以内の割引率を適用することができます。
(8) 往復輸送の場合は、復路及び復路の基準運賃について、それぞれ　%以内の割引率を適用することができます。
(9) 荷送人又は荷受人の依頼により貨物の積込み又は取卸しを引き受けた場合には積込料又は取卸料を収受します。
(10) 車両が貨物の発地又は着地に到着後、荷送人又は荷受人の責により待機した時間（荷送人又は荷受人が貨物の積込み若しくは取卸し又は附帯業務を行う場合における待機した時間を含む。）に応じて待機時間料を収受します。ただし、1回の運送において2箇所以上で待機が発生する場合は、それぞれについて合計するものとします。
(11) 貨物の発地又は着地が東京都特別区又は政令指定都市の場合は、所定の地区割増料を収受します。
(12) 有料道路利用料、フェリー利用料、附帯作業等にかかる費用は、実費として収受します。
(13) 時間制運賃の走行キロ及び時間の計算は、使用車両が荷主の指定した場所に到着した時から、その作業が終了して車庫に帰着するまでとします。
(14) この適用方法に定めのない事項は、法令に反しない範囲で当時者の取り決め又は慣習によるものとします。

2　レンタカー事業（自家用自動車有償貸渡許可申請）

人気が高まりつつあるレンタカー

自家用自動車を有償で貸渡す事業（レンタカー事業）を始めるには、運輸支局に申請のうえ、自家用自動車有償貸渡許可を受ける必要があります。貸渡事業の許可がなければ、レンタカー車両の登録はできません。レンタカー事業の許可は、法人・個人のどちらでも取得可能です。

現代の若者の自家用車所有率は、年々減少傾向にあると言われています。自家用車を持つには、自動車購入費の他に、車検代、税金、保険代、駐車場代などの維持費が結構かかります。それに比べ、車を乗りたいとき、必要なときだけ低料金で利用できるレンタカーは、人気が高まりつつあります。

また、レンタカー専門業のみならず、自動車整備工場、ガソリンスタンド、中古自動車販売事業者が、兼業としてレンタカー事業を行う傾向にもあるようです。

①許可基準

◆申請者及びその役員が次に定める欠格事由に該当しないこと。

ア、許可を受けようとする者が1年以上の懲役または禁錮の刑処せられ、その執行を終わり、または執行を受けることがなくなった日から2年を経過していない者。

イ、許可を受けようとする者が、一般旅客自動車運送事業、特定旅客自動車運送事業、一般貨物運送事業、特定貨物自動車運送事業または自家用自動車の有償貸渡しの許可の取消しを受け、取消しの日から2年を経過していない者。

ウ、許可を受けようとする者が営業に関し成年者と同一の能力を有しない未成年者または成年被後見人である場合において、その法定代理人が前記のア及びイに該当する者。

エ、許可を受けようとする者が法人である場合において、その法人の役員（いかなる名称によるかを問わず、これと同等以上の職権または支配力を有する者を含む）が前記のア～ウに該当する者であるとき。

◆申請者（法人の場合は役員全員）が申請日前2年前以降において、自動車運送事業経営類似行為により処分を受けていないこと。

◆貸渡自動車は、事故を起こした場合に備えて、十分な補償を行いうる自動車保険に加入するもの。

ア、対人保険　1名につき8，０００万円以上

イ、対物保険　1事故につき２００万円以上

ウ、搭乗者保険　1名につき５００万円以上

◆レンタカー事業に使用する車両すべてを止めることができる駐車場を確保していること

駐車場は1か所にまとめる必要はありませんが、登録そのものは名義変更と同じになりますので、一般車と同じように車庫証明が必要になります。

②レンタカー許可の車種

自家用乗用車
自家用マイクロバス（乗車定員29人以下であり、かつ、車両長さが７ｍ以下の車両に限る）
自家用トラック
その他（特殊用途自動車等）
二輪車

③許可申請書に添付する主な書類

・自家用事業自動車有償貸渡許可申請書
・確認書
・事務所別車両一覧表
・貸渡しの実施計画書等
・貸渡料金及び貸渡約款を記載した書類
・個人の場合は住民票、法人の場合は法人登記簿謄本

④許可に付する条件

ア、自家用バス（乗車定員30名以上または車両長さ７ｍ超）、霊柩車の貸渡しはできません。

イ、貸渡しに附随した運転者の労務提供（運転者の紹介、あっせんを含む）を行ってはいけません。
ウ、貸渡自動車の配置事務所において、貸渡状況、整備状況等車両の状況を把握し、適確な管理の実施が必要です。
エ、毎年1回、貸渡実績等の所定の報告書を運輸支局に提出する必要があります。

⑤事務所責任者

事務所ごとに事務所責任者を配置する必要があります。責任者に資格要件はありません。

⑥整備管理者が必要な場合

次の場合は整備管理者を定めて運輸支局に届出を出す必要があります。
ア、自家用自動車10台以上をレンタカー登録する場合。
イ、乗車定員12人以上のバス1台以上をレンタカー登録する場合。
ウ、総重量8t以上のトラック5台以上をレンタカー登録する場合。

⑦整備管理者の要件

整備管理者は、左記のいずれかに該当する者しか選任できませんのでご注意ください。
ア、3級以上の自動車整備技師の資格を持っている者。

〔図表16　レンタカー事業の申請から開業までの流れ〕

イ、資格がない場合は自動車の整備管理の実務経験が2年以上ある者が、「整備管理者選任前講習を修了」した者。

⑧マイクロバス

マイクロバスをレンタカーとして使用する場合は、レンタカー事業を始めて2年以上の経営実績が必要となります。また、車両停止の処分を受けていないことも条件に入ります。

※マイクロバスとは、車両総重量8t未満、最大積載量5t未満の車体で、乗車定員が11～29人である小型のバスのことを指します。

⑨必要費用

・許可後、登録免許税9万円の納付が必要になります（許可書交付の際に納付書が渡されます）。

⑩申請から開業までの流れ（図表16）

3　貨物利用運送事業

貨物利用運送事業とは

貨物利用運送事業とは、荷主からの依頼により、他の事業者（実運送事業者）が経営する船舶（外航・内航）、航空（国内・国際）、鉄道、自動車の運送事業を利用して、有償で荷主の貨物を運送する事業のことです。

簡単に言えば、自社では車両を持たず、荷主からの依頼を受け、外注で実運送事業者を使って荷物を運ぶという業態のことです。

利用運送事業社

利用運送事業者は、荷主との間で運送契約（請負）を結び、さらに、利用運送事業者は、運送事業者との間で運送契約（請負）を結びます。依頼先への責任は、利用運送事業者が負います。

貨物利用運送事業の種類

貨物利用運送事業は、第1種と第2種の2種類あります。

・第1種貨物利用運送事業（登録）運送手段が1種類のみ（トラックのみなど）。
・第2種貨物利用運送事業（許可）運送手段が複数（トラック＋鉄道、トラック＋船など）。

運送業は「貨物自動車運送事業法」が根拠法であり、貨物利用運送業は「貨物利用運送事業法」が根拠法となります。

第1種貨物利用運送事業の許可を取得するには、「国土交通大臣の行う登録」を行う必要があります。

次に、当事務所で依頼の多い第1種貨物利用運送事業について、ご説明いたします。

4　第1種貨物利用運送事業

①取得するための要件

◆営業所・店舗について

ア、使用権原を有すること。

イ、農地法・都市計画法・建築基準法に抵触しないこと。市街化調整区域の中にある建物は基本的に営業所として使用できません。

◆保管施設について（保管施設を必要とする場合）
ア、使用権原を有すること。
イ、農地法・都市計画法・建築基準法に抵触しないこと。
ウ、規模が適切であること。
◆財産的要件について
純資産額３００万円以上あること。
◆経営主体
第1種貨物利用運送事業の登録を受けるに際し、次の拒否事由に該当する場合は登録を受けることができません。
ア、申請者が1年以上の懲役または禁錮の刑に処せられ、その執行を終わり、または執行を受けることがなくなった日から2年を経過した者。
イ、第1種貨物利用運送事業の登録または第2種貨物利用運送事業の許可の取消しを受け、その取消しの日から2年を経過しない者。
ウ、申請前2年以内に、貨物利用運送事業に関し不正な行為をした者。
エ、法人の場合は、その法人の役員（名称を問わず、役員と同等以上の職権や支配力を有する方を含む）が前記のいずれかに該当する者が所属する法人。
オ、事業に必要な施設を有しない者。

カ、事業を遂行するために必要な財産的基礎を有しない者。

②必要書類

ア、登録申請書

イ、事業計画

ウ、利用する運送を行う実運送事業者または貨物利用運送事業者との運送に関する契約書の写し

・業務取扱契約書等

エ、貨物利用運送事業の用に供する施設に関する事項を記載した書類

・都市計画法等関係法令に抵触しないことを証する書類（宣誓書）

・営業所等の使用権限を有することを証する書類（宣誓書）

○貨物の保管体制を必要とする場合

・保管施設の面積、構造及び附属設備を記載した書類

・使用権原を有していることを証する書類（宣誓書）

オ、既存の法人の場合

・定款または寄付行為及び登記簿の謄本

・最近の事業年度における賃貸借表

・役員または社員の名簿及び履歴書

カ、法人を設立使用とする場合
・定款または寄附行為の謄本
・発起人、社員または設立者の名簿及び履歴書
・設立しようとする法人が株式会社または有限会社である場合にあっては、株式の引受けまたは出資の状況及び見込みを記載した書類

キ、個人の場合
・財産に関する調書
・戸籍抄本
・履歴書

ク、法第6条第1項第1~5号のいずれにも該当しない旨を証する書類（宣誓書）

③必要費用

登録免許税　9万円

参考　建築基準法の「用途地域等内の建築物の制限」（第27条、第48条、第68条の3関係）

（い）第1種低層住居専用地域内に建築することができる建築物

一　住宅
二　住宅で事務所、店舗その他これらに類する用途を兼ねるもののうち政令で定めるもの
三　共同住宅、寄宿舎または下宿
四　学校（大学、高等専門学校、専修学校及び各種学校を除く。）、図書館その他これらに類するもの
五　神社、寺院、教会その他これらに類するもの
六　老人ホーム、保育所、身体障害者福祉ホームその他これらに類するもの
七　公衆浴場（風俗営業等の規制及び業務の適正化等に関する法律第2条第6項第1号に該当する営業（以下この表において「個室付浴場業」という。）に係るものを除く。）
八　診療所
九　巡査派出所、公衆電話所その他これらに類する政令で定める公益上必要な建築物
十　前各号の建築物に附属するもの（政令で定めるものを除く。）

（ろ）第2種低層住居専用地域内に建築することができる建築物

一　（い）項第一号から第九号までに掲げるもの

二　店舗、飲食店その他これらに類する用途に供するもののうち政令で定めるものでその用途に供する部分の床面積の合計が150㎡以内のもの（3階以上の部分をその用途に供するものを除く。）

三　前2号の建築物に附属するもの（政令で定めるものを除く。）

（は）第1種中高層住居専用地域内に建築することができる建築物

一　（い）項第一号から第九号までに掲げるもの

二　大学、高等専門学校、専修学校その他これらに類するもの

三　病院

四　老人福祉センター、児童厚生施設その他これらに類するもの

五　店舗、飲食店その他これらに類する用途に供するもののうち政令で定めるものでその用途に供する部分の床面積の合計が500㎡以内のもの（3階以上の部分をその用途に供するものを除く。）

六　自動車車庫で床面積の合計が300㎡以内のものまたは都市計画として決定されたもの（3階以上の部分をその用途に供するものを除く。）

七　公益上必要な建築物で政令で定めるもの

八　前各号の建築物に附属するもの（政令で定めるものを除く。）

（に）第2種中高層住居専用地域内に建築してはならない建築物

一　（ほ）項第二号及び第三号、（へ）項第三号から第五号まで、（と）項第四号並びに（ち）項第2号及び第三号に掲げるもの

二　工場（政令で定めるものを除く。）

三　ボーリング場、スケート場、水泳場その他これらに類する政令で定める運動施設

四　ホテルまたは旅館

五　自動車教習所

六　政令で定める規模の畜舎

七　3階以上の部分を（は）項に掲げる建築物以外の建築物の用途に供するもの（政令で定めるものを除く。）

八　（は）項に掲げる建築物以外の建築物の用途に供するものでその用途に供する部分の床面積の合計が1，500㎡を超えるもの（政令で定めるものを除く。）

（ほ）第1種住居地域内に建築してはならない建築物

一　（へ）項第一号から第五号までに掲げるもの

二　マージャン屋、ぱちんこ屋、射的場、勝馬投票券発売所、場外車券売場その他これらに類するもの

三　カラオケボックスその他これに類するもの

四　（は）項に掲げる建築物以外の建築物の用途に供するものでその用途に供する部分の床面積の合計が3，000㎡を超えるもの（政令で定めるものを除く。）

（へ）第2種住居地域内に建築してはならない建築物

一　（と）項第三号及び第四号並びに（ち）項に掲げるもの

二　原動機を使用する工場で作業場の床面積の合計が50㎡を超えるもの

三　劇場、映画館、演芸場または観覧場

四　自動車車庫で床面積の合計が300㎡を超えるものまたは3階以上の部分にあるもの（建築物に附属するもので政令で定めるものまたは都市計画として決定されたものを除く。）

五　倉庫業を営む倉庫

六　店舗、飲食店、展示場、遊技場、勝馬投票券発売所、場外車券売場その他これらに類する用途で政令で定めるものに供する建築物でその用途に供する部分の床面積の合計が10，000㎡を超えるもの

(と) 住居地域内に建築してはならない建築物

一　(ち) 項に掲げるもの

二　原動機を使用する工場で作業場の床面積の合計が50㎡を超えるもの（作業場の床面積の合計が150㎡を超えない自動車修理工場を除く。）

三　次に掲げる事業（特殊の機械の使用その他の特殊の方法による事業であって住居の環境を害するおそれがないものとして政令で定めるものを除く。）を営む工場

（一）　容量10L以上30L以下のアセチレンガス発生器を用いる金属の工作（一の二）　印刷用インキの製造

（二）　出力の合計が0・75KW以下の原動機を使用する塗料の吹付

（二の二）　動機を使用する魚肉の練製品の製造

（三）　原動機を使用する2台以下の研磨機による金属の乾燥研磨（工具研磨を除く。）

（四）　コルク、エボナイト若しくは合成樹脂の粉砕もしくは乾燥研磨または木材の粉砕で原動機を使用するもの

（四の二）　厚さ0・5mm以上の金属板のつち打加工（金属工芸品の製造を目的とするものを除く。）または原動機を使用する金属のプレス（液圧プレスのうち矯正プレスを使用するものを除く。）もしくはせん断

（四の三）　印刷用平版の研磨

（四の四）　糖衣機を使用する製品の製造
（四の五）　原動機を使用するセメント製品の製造
（四の六）　ワイヤーフォーミングマシンを使用する金属線の加工で出力の合計が０・75ｋｗを超
　　える原動機を使用するもの
（五）　木材の引割若しくはかんな削り、裁縫、機織、撚糸、組ひも、編物、製袋またはやすりの目立
　　で出力の合計が０・75ＫＷをこえる原動機を使用するもの
（六）　製針または石材の引割で出力の合計が１・５ＫＷをこえる原動機を使用するもの
（七）　出力の合計が２・５ＫＷをこえる原動機を使用する製粉
（八）　合成樹脂の射出成形加工
（九）　出力の合計が十ＫＷをこえる原動機を使用する金属の切削
（十）　めっき
（十一）　原動機の出力の合計が１・５ｋｗをこえる空気圧縮機を使用する作業
（十二）　原動機を使用する印刷
（十三）　ベンディングマシン（ロール式のものに限る。）を使用する金属の加工
（十四）　タンブラーを使用する金属の加工
（十五）　ゴム練用または合成樹脂練用のロール機（カレンダーロール機を除く。）を使用する作業
（十六）　（一）から（十五）までに掲げるもののほか、安全上もしくは防火上の危険の度または衛生

上もしくは健康上の有害の度が高いことにより、住居の環境を保護する上で支障があるものとして政令で定める事業
四～六・・・省略

（ち）近隣商業地域内に建築してはならない建築物

一　（り）項に掲げるもの
二　キャバレー、料理店、ナイトクラブ、ダンスホールその他これらに類するもの
三　個室付浴場業に係る公衆浴場その他これに類する政令で定めるもの

（り）商業地域内に建築してはならない建築物

一　（ぬ）項第一号及び第二号に掲げるもの
二　原動機を使用する工場で作業場の床面積の合計が１５０㎡をこえるもの（日刊新聞の印刷所及び作業場の床面積の合計が３００㎡をこえない自動車修理工場を除く。）
三　次に掲げる事業（特殊の機械の使用その他の特殊の方法による事業であって商業その他の業務の利便を害するおそれがないものとして政令で定めるものを除く。）を営む工場
（一）　玩具煙火の製造
（二）　アセチレンガスを用いる金属の工作（アセチレンガス発生器の容量30Ｌ以下のもの又は

溶解アセチレンガスを用いるものを除く。）
（三）　引火性溶剤を用いるドライクリーニング、ドライダイイングまたは塗料の加熱乾燥もしくは焼付（赤外線を用いるものを除く。）
（四）　セルロイドの加熱加工又は機械のこぎりを使用する加工
（五）　絵具または水性塗料の製造
（六）　出力の合計が０・75ＫＷをこえる原動機を使用する塗料の吹付
（七）　亜硫酸ガスを用いる物品の漂白
（八）　骨炭その他動物質炭の製造
（八の二）　せっけんの製造
（八の三）　魚粉、フェザーミール、肉骨粉、肉粉もしくは血粉またはこれらを原料とする飼料の製造
（八の四）　手すき紙の製造
（九）　羽または毛の洗浄、染色または漂白
（十）　ぼろ、くず綿、くず紙、くず糸、くず毛その他これらに類するものの消毒、選別、洗浄または漂白
（十一）　製綿、古綿の再製、起毛、せん毛、反毛又はフェルトの製造で原動機を使用するもの
（十二）　骨、角、きば、ひずめもしくは貝がらの引割もしくは乾燥研磨または3台以上の研磨機

による金属の乾燥研磨で原動機を使用するもの
（十三）鉱物、岩石、土砂、コンクリート、アスファルト・コンクリート、硫黄、金属、ガラス、れんが、陶磁器、骨又は貝殻の粉砕で原動機を使用するもの
（十三の二）レディミクストコンクリートの製造またはセメントの袋詰で出力の合計が2・5をこえる原動機を使用するもの
（十四）墨、懐炉灰またはれん炭の製造
（十五）活字もしくは金属工芸品の鋳造または金属の溶融で容量の合計が50Ｌをこえないるつぼまたはかまを使用するもの（印刷所における活字の鋳造を除く。）
（十六）瓦、れんが、土器、陶磁器、人造砥石、るつぼまたはほうろう鉄器の製造
（十七）ガラス製造または砂吹
（十七の二）金属の溶射または砂吹
（十七の三）鉄板の波付加工
（十七の四）ドラムカンの洗浄または再生
（十八）スプリングハンマーを使用する金属の鍛造
（十九）伸線、伸管又はロールを用い金属の圧延で出力の合計が４ＫＩＷ以下の原動機を使用するもの
（二十）（一）から（十九）までに掲げるもののほか、安全上もしくは防火上の危険の度または衛

生上もしくは健康上の有害の度が高いことにより、商業その他の業務の利便を増進する上で支障があるものとして政令で定める事業

四　危険物の貯蔵または処理に供するもので政令で定めるもの

(ぬ) 準工業地域内に建築してはならない建築物

一　次に掲げる事業(特殊の機械の使用その他の特殊の方法による事業であって環境の悪化をもたらすおそれのない工業の利便を害するおそれがないものとして政令で定めるものを除く。)を営む工場

(一) 火薬類取締法の火薬類(玩具煙火を除く。)の製造

(二) 消防法第2条第7項に規定する危険物の製造(政令で定めるものを除く。)

(三) マッチの製造

(四) ニトロセルロース製品の製造

(五) ビスコース製品、アセテートまたは銅アンモニアレーヨンの製造

(六) 合成染料もしくはその中間物、顔料または塗料の製造(漆または水性塗料の製造を除く。)

(七) 引火性溶剤を用いるゴム製品または芳香油の製造

(八) 乾燥油または引火性溶剤を用いる擬革紙布または防水紙布の製造

(九) 木材を原料とする活性炭の製造(水蒸気法によるものを除く。)

（十）　石炭ガス類またはコークスの製造
（十一）　可燃性ガスの製造（政令で定めるものを除く。）
（十二）　圧縮ガスまたは液化ガスの製造（製氷または冷凍を目的とするものを除く。）
（十三）　塩素、臭素、ヨード、硫黄、塩化硫黄、弗化水素酸、塩酸、硝酸、硫酸、燐酸、苛性カリ、苛性ソーダ、アンモニア水、炭酸カリ、せんたくソーダ、ソーダ灰、さらし粉、次硝酸蒼鉛、亜硫酸塩類、チオ硫酸塩類、砒素化合物、鉛化合物、バリウム化合物、銅化合物、水銀化合物、シヤン化合物、クロールズルホン酸、クロロホルム、四塩化炭素、ホルマリン、ズルホナール、グリセリン、イヒチオールズルホン酸アンモン、酢酸、石炭酸、安息香酸、タンニン酸、アセトアニリド、アスピリンまたはグアヤコールの製造
（十四）　たんぱく質の加水分解による製品の製造
（十五）　油脂の採取、硬化または加熱加工（化粧品の製造を除く。）
（十六）　ファクチス、合成樹脂、合成ゴムまたは合成繊維の製造
（十七）　肥料の製造
（十八）　製紙（手すき紙の製造を除く。）またはパルプの製造
（十九）　製革、にかわの製造または毛皮もしくは骨の精製
（二十）　アスファルトの精製
（二十一）　アスファルト、コールタール、木タール、石油蒸溜産物またはその残りかすを原料とする

製造
（二十二）セメント、石膏、消石灰、生石灰またはカーバイドの製造
（二十三）金属の溶融または精練（容量の合計が50Lをこえないるつぼもしくはかまを使用するものまたは活字もしくは金属工芸品の製造を目的とするものを除く。）
（二十四）炭素粉を原料とする炭素製品もしくは黒鉛製品の製造または黒鉛の粉砕
（二十五）金属厚板または形鋼の工作で原動機を使用するはつり作業（グラインダーを用いるものを除く。）、びょう打作業または孔埋作業を伴うもの
（二十六）鉄釘類または鋼球の製造
（二十七）伸線、伸管またはロールを用いる金属の圧延で出力の合計が４ＫＷをこえる原動機を使用するもの
（二十八）鍛造機（スプリングハンマーを除く。）を使用する金属の鍛造
（二十九）動物の臓器またははいせつ物を原料とする医薬品の製造
（三十）石綿を含有する製品の製造または粉砕
（三十一）（一）から（三十）までに掲げるもののほか、安全上もしくは防火上の危険の度または衛生上もしくは健康上の有害の度が高いことにより、環境の悪化をもたらすおそれのない工業の利便を増進する上で支障があるものとして政令で定める事業
二　危険物の貯蔵または処理に供するもので政令で定めるもの

三　個室付浴場業に係る公衆浴場その他これに類する政令で定めるもの

（る）工業地域内に建築してはならない建築物

一　（ぬ）項第三号に掲げるもの
二　ホテル又は旅館
三　キャバレー、料理店、ナイトクラブ、ダンスホールその他これらに類するもの
四　劇場、映画館、演芸場又は観覧場
五　学校
六　病院
七　店舗、飲食店、展示場、遊技場、勝馬投票券発売所、場外車券売場その他これらに類する用途で政令で定めるものに供する建築物でその用途に供する部分の床面積の合計が１０、０００㎡を超えるもの

（を）工業専用地域内に建築してはならない建築物

一　（る）項に掲げるもの
二　住宅
三　共同住宅、寄宿舎または下宿

四　老人ホーム、身体障害者福祉ホームその他これらに類するもの
五　物品販売業を営む店舗または飲食店
六　図書館、博物館その他これらに類するもの
七　ボーリング場、スケート場、水泳場その他これらに類する政令で定める運動施設
八　マージャン屋、ぱちんこ屋、射的場、勝馬投票券発売所、場外車券売場その他これらに類するもの

（わ）用途地域の指定のない区域（都市計画法第7条第1項に規定する市街化調整区域を除く。）内に建築してはならない建築物

劇場、映画館、演芸場もしくは観覧場または店舗、飲食店、展示場、遊技場、勝馬投票券発売所、場外車券売場その他これらに類する用途で政令で定めるものに供する建築物でその用途に供する部分（劇場、映画館、演芸場または観覧場の用途に供する部分にあっては、客席の部分に限る。）の床面積の合計が10，000㎡を超えるもの

おわりに

稚拙な文章に最後までお付き合いくださいまして、どうもありがとうございました。

いかがでしたでしょうか？　少しでも皆様のお役に立てたなら幸いです。少なくとも運送業のことが未知の世界だった当時の自分が読んだら、「こんな本が欲しかった」と喜んだであろう自負はあります。

２０１７年の暮れ、「運送関係の本を書いてみませんか？」とのお話をいただいたときは、私のような未熟者に本の執筆が務まるのかと、正直不安がありました。

しかし、私が書くことにより、誰かのお役に立てるのであれば、二度とないチャンスなのではないかと思ったのも事実です。

本書にも書きましたとおり、運送業はコンプライアンスが厳しい業界です。度重なる法改正に対応していくだけでも大変な労力だと思います。私のような行政書士は実際にトラックに乗れるわけではありません。しかしながらコンプライアンスという側面から運送業界を応援することは可能です。

物流という社会の根幹を担う重要な役割を持つ運送業。皆様が経営者としてその一員になる夢があるように、私にも夢があります。

２０２０年12月、運送業をコンプライアンス面から全面サポートするべく、株式会社エルサポを立ち上げ、代表取締役に就任致しました。

今後は、行政書士業務に留まることなく、幅広い活動をしていきたいと思っています。

ありがたいことに、行政書士向け「運送業実務マスター講座」の講師のお話をいただき、実務の講義も行っています。

今では運送関係の仕事や顧問先も増え、１００社以上の顧客の皆様から、貴重な経験をいただいております。

最後になりましたが、本書の出版にあたりまして、ご尽力くださいましたセルバ出版様、出版の機会をつくってくださり、「チャンスは誰にでもやってくるものではないんですよ」と、勇気づけてくださった有限会社イー・プランニング代表取締役須賀柾晶様に、心よりお礼申し上げます。

そして、一般社団法人物流法務総合研究所の前代表理事である行政書士高山正孝先生、一般社団法人物流法務総合研究所代表理事の行政書士小川晃先生、女性として憧れの行政書士松本明美先生には、お忙しい中本書の執筆に際しご指導いただき、大変感謝しております。

さらに本書に登場するトラックの絵を描いてくださった「柿の庭デザイン」代表のグラフィックデザイナー石田栄さん、素敵な絵をありがとうございました。

最後に、私を育ててくださる顧客の皆様、携わってくださる多くの皆様、そしてどんなときも応援してくれる家族にこの場を借りて感謝の気持ちを述べたいと思います。

行政書士　諸井　佳子

2023年1月

著者略歴

諸井　佳子（もろい　けいこ）

埼玉県出身。

財務省（旧大蔵省）、法律事務所勤務の後、結婚し専業主婦へ。

平成10年度行政書士試験に合格するも、双子の子育て中心の生活スタイルを崩さず。

子どもたちの中学入学を機に、行政書士事務所を独立開業。

開業して初めての仕事が運送関係業務だったことから、その魅力にのめり込み、現在は運送業をメイン業務として活動。許認可申請のみならず、お客様の問題解決に向けてトータルサポートができるよう常に心がけている。

運送業界をコンプライアンス面から全面サポートするため、株式会社エルサポを設立し、代表取締役に就任。コンサルタント業務など幅広い活動を行っている。

行政書士諸井佳子事務所
〒362-0023　埼玉県上尾市原市中3-6-16-101
TEL：048-731-8600
URL：　http://moroi-office.com/nktt/
E-mail：　moroi_office29@ybb.ne.jp

改訂版　運送業で起業する人が最初に読む本－起業から許可・運営まで

2018年8月8日　初版発行
2019年12月13日　改訂版発行　2025年3月6日　改訂版第5刷発行

著　者　諸井　佳子

発行人　森　忠順

発行所　株式会社 セルバ出版
〒113-0034
東京都文京区湯島1丁目12番6号 高関ビル5B
☎03（5812）1178　FAX 03（5812）1188
https://seluba.co.jp/

発　売　株式会社 創英社／三省堂書店
〒101-0051
東京都千代田区神田神保町1丁目1番地
☎03（3291）2295　FAX 03（3292）7687

印刷・製本　株式会社 丸井工文社

ISBN978-4-86367-542-1